NA RAÇA

NA RAÇA

COMO **GUILHERME BENCHIMOL** CRIOU A **XP**
E INICIOU A MAIOR REVOLUÇÃO DO
MERCADO FINANCEIRO BRASILEIRO

MARIA LUÍZA FILGUEIRAS

intrínseca

Copyright © 2019 by Maria Luíza Filgueiras

EDIÇÃO
Tiago Lethbridge

PREPARAÇÃO
Diogo Henriques

REVISÃO
Eduardo Carneiro
Laís Curvão

PROJETO GRÁFICO E DIAGRAMAÇÃO
Julio Moreira | Equatorium Design

ARTE DE CAPA
Angelo Bottino

FOTO DE CAPA
Bob Wolfenson

CIP-BRASIL. CATALOGAÇÃO NA PUBLICAÇÃO
SINDICATO NACIONAL DOS EDITORES DE LIVROS, RJ

F512i
    Filgueiras, Maria Luíza
    Na raça : como Guilherme Benchimol criou a XP e iniciou a maior revolução do mercado financeiro brasileiro / Maria Luíza Filgueiras. - 1. ed. - Rio de Janeiro : Intrínseca, 2019.
    240 p. ; 23 cm.

    ISBN 978-85-510-0605-4

    1. XP Investimentos - História. 2. Investimentos - Brasil. 3. Empresas - Brasil -
    História. I. Filgueiras, Maria Luíza. II. Título.

19-60201
    CDD: 332.60981
    CDU: 336.76(09)

Meri Gleice Rodrigues de Souza - Bibliotecária CRB-7/6439

[2019]
Todos os direitos desta edição reservados à
Editora Intrínseca Ltda.
Av. das Américas, 500, bloco 12, sala 303
22640-904 – Barra da Tijuca
Rio de Janeiro – RJ
Tel./Fax: (21) 3206-7400
www.intrinseca.com.br

1ª edição   NOVEMBRO DE 2019
reimpressão   OUTUBRO DE 2024
impressão   LIS GRÁFICA
papel de miolo   PÓLEN NATURAL 80 G/M²
papel de capa   CARTÃO SUPREMO ALTA ALVURA 250 G/M
tipografia   PMN CAECILIA

SUMÁRIO

PREFÁCIO — 9

PRÓLOGO — 15

1. UM CARA "RAÇUDO" — 31

2. NASCE A XP — 47

3. A CONQUISTA DA OCEANIA — 65

4. "ESSE TROÇO VALE DINHEIRO PRA CARAMBA!" — 81

5. A MENOR CORRETORA DO BRASIL — 97

6. MODO DE SOBREVIVÊNCIA LUNAR — 111

7. QUERO SER SCHWAB — 133

8. UMA EMPRESA BILIONÁRIA — 145

9. O FIM DO CLUBE DOS AMIGOS — 161

10. VELOCIDADE DE ESCAPE — 177

11. DUAL TRACK — 197

POSFÁCIO — 221

AGRADECIMENTOS — 235

CRÉDITOS DAS IMAGENS — 239

PREFÁCIO

Em julho de 2019 dividi o palco na Expert com Guilherme Benchimol, fundador e CEO da XP Investimentos, para falar sobre a importância da cultura em uma empresa. Aceitei o convite porque, assim como o Guilherme, acredito que a cultura seja uma das principais fortalezas de uma instituição bem-sucedida. O que eu não sabia é que um evento do setor financeiro atrairia tanta gente.

Naquele sábado em que os termômetros marcavam 8 graus Celsius em São Paulo, quase 12 mil pessoas estavam lá para ouvir nossas histórias — foi só então que soube que a Expert havia se transformado no maior evento de finanças do mundo! Ao final, o Guilherme me desafiou para um jogo de tênis em pleno palco. Ganhei por 3 x 2, mas ele, tão competitivo quanto eu, já está me cobrando uma revanche.

Acredito em países que têm uma alta dose de empreendedorismo. Aceitei subir ao palco com o Guilherme e escrever o Prefácio do livro sobre a XP porque acho que é uma história exemplar de empreendedorismo e que seu exemplo servirá para animar e impulsionar outros jovens brasileiros.

Embora tenha conhecido o Guilherme pessoalmente apenas há cerca de um ano, acompanho a história da XP desde seu comecinho, em Porto Alegre. Um dos sócios da empresa, Julio, é filho do José Carlos Ramos da Silva, um dos meus primeiros sócios no banco Garantia. Quando nos encontrávamos, o Julio sempre falava sobre a XP — e eu gostava de saber que aqueles garotos estavam trabalhando duro para correr atrás de um sonho que ainda parecia muito distante.

Todo empreendedor bem-sucedido é um fanático. Toda história de sucesso tem alguém que, apesar dos altos e baixos, está ali empurrando, ajustando, testando novidades e administrando os talentos da casa. É aquela pessoa que faz a barra subir constantemente, que nunca está satisfeita com o resultado, que não aceita mediocridade e que aguenta firme quando as coisas não vão bem. Na XP, essa figura é o Guilherme.

Quando a XP começou, ele não tinha recursos. Muitas vezes as contas não fechavam. Em vez de lamentar as dificuldades, ele e sua equipe inovaram, apostando em cursos de educação financeira para atrair clientes. Arriscaram criar uma rede de representantes, mesmo sem ter clareza jurídica sobre como aquilo ia funcionar (exemplos mais recentes, como Uber e Airbnb, mostram que a inovação sempre chega antes do arcabouço jurídico). Mais tarde, adquiriram sua própria corretora, em vez de operar apenas com terceiros.

Pouco a pouco, foram acumulando clientes e sempre tiveram um viés varejista, ao somar muitos clientes e ter a preocupação de servi-los bem. Essa talvez seja uma das maiores diferenças em relação ao Garantia, que se criou no atacado, com poucos clientes, uma equipe bem mais enxuta e mais suscetível aos solavancos do mercado. Uma política varejista exige muito mais gente, entretanto, os altos e baixos do mercado em geral afetam menos a instituição como um todo.

Assim como o Garantia, a XP foi criada como uma *partnership* na qual os sócios permanecem com uma participação acionária no negócio enquanto contribuem. Essa é a melhor forma para gerar valor constante para o negócio, mas é inevitável que gere um atrito constante de avaliações. Tanto no Garantia como na XP, vários sócios saíram no meio do caminho — e outros tantos entraram. Administrar essa dinâmica tão delicada e muitas vezes tensa é mais um dos desafios do Guilherme.

Portanto o Guilherme teve que enfrentar falta de recursos, mudanças de rumo, altos e baixos do mercado, tentativas de novidades, sócios insatisfeitos, a busca de novos sócios. Tarefa, sem dúvida, para um fanático que sempre se manteve firme no propósito de aproximar o mercado de capitais do investidor médio, servir bem os clientes e educar o público investidor.

Se você acredita no capitalismo e na força do empreendedorismo — até os chineses acreditam hoje em dia! —, certamente vai admirar a trajetória de Guilherme e seus sócios. A XP trouxe milhares de novos investidores para o mercado de capitais e vem fazendo um trabalho incessante para educar esse pessoal. O acesso ao mercado de capitais ajuda a diminuir as desigualdades sociais e gera recursos para a expansão de empresas bem-sucedidas.

Outro dia falei publicamente que me sentia um "dinossauro assustado". Os setores em que meus sócios e eu atuamos estão sendo disruptados pela tecnologia e pelas mudanças de hábitos do consumidor. O mesmo acontece no setor financeiro, hoje invadido por uma onda de empresas inovadoras. Essa é uma das razões pelas quais recentemente o Itaú adquiriu uma fatia significativa do capital da XP, avaliando a firma em 12 bilhões de reais (um eventual IPO deve multiplicar esse *valuation* em algumas vezes). O noivado com o Itaú pode ser significativo. Traz para o banco um novo canal de acesso a clientes. Com o histórico de crescer por aquisições, anos atrás comprou o BBA — e depois fez do chefe do BBA o CEO do próprio Itaú. Para a XP, além do selo de segurança do Itaú, o negócio pode trazer maior institucionalização de governança.

A XP cresceu muito e continuará crescendo. Sua história está apenas começando. Uma certa institucionalização de sua governança será boa — só não pode matar o fanatismo do Guilherme para continuar empurrando e administrando todos os pepinos que sempre existirão.

Hoje me considero um "dinossauro que está correndo atrás" — e conhecer de perto empresas como a XP tem me ajudado a entender as mudanças que meus sócios e eu precisamos fazer em nossos negócios.

Espero que muitos outros jovens brasileiros também aprendam com a história da XP, se inspirem e corram atrás de seus sonhos.

Jorge Paulo Lemann
Cofundador da 3G Capital

PRÓLOGO

SÃO PAULO, **11 DE MAIO DE 2017**

Faltavam algumas horas para o mais importante centro financeiro do Brasil acordar quando o carioca Guilherme Benchimol começou a correr pela avenida Brigadeiro Faria Lima. Às cinco e meia da manhã, com o ar de outono de São Paulo um pouco mais gelado que o habitual, ele desceu do flat onde morava, iniciou um trote lento e, quando entrou na avenida Juscelino Kubitschek em direção ao Parque Ibirapuera, acelerou. Era seu trajeto rotineiro desde 2014, quando passou a dormir em São Paulo durante a semana, após a mudança da sede de sua empresa, a XP Investimentos. A corrida tinha um valor terapêutico: a endorfina relaxava os músculos, colocava a cabeça no lugar, preparava o corpo para um dia de trabalho intenso. E aquele seria um dia particularmente intenso para ele. Estava marcada para o fim da tarde a assinatura do maior negócio da sua vida, a venda de 49,9% da XP para o banco Itaú. Um acordo que faria de Benchimol um bilionário aos quarenta anos.

Guilherme precisava mesmo da endorfina. Estava exausto após dormir uma média de quatro horas por noite na semana anterior. As negociações com o Itaú haviam sido duríssimas. Cinco dias antes, os dois lados tinham desistido do negócio, para retomá-lo em ritmo frenético em seguida. A XP seria avaliada em 12 bilhões de reais, e o Itaú, além de comprar os 49,9%, faria um aporte de 600 milhões de reais na empresa. Agora, cabia a Benchimol dizer sim, como esperado, e se tornar sócio do Itaú — ou simplesmente dizer não.

Ao terminar a primeira volta no Ibirapuera, decidiu que o trajeto normal de dez quilômetros não seria suficiente. Embalou e deu outra volta ao redor do parque. Ninguém tinha ideia do peso que afundava seus ombros naquelas últimas semanas. As conversas com o Itaú haviam sido um segredo muito bem guardado. Apenas seis sócios da XP sabiam da negociação desde o início. Para os demais sócios e funcionários, o discurso oficial era o de que a empresa faria uma operação de venda de ações na B3, a bolsa de valores brasileira. Com o IPO — sigla em inglês que significa oferta pública inicial de ações —, a XP levantaria dinheiro para investir e seus acionistas teriam a oportunidade de embolsar alguns bilhões de reais. Um dia antes, em 10 de maio, a XP tinha protocolado o registro de oferta de ações na Comissão de Valores Mobiliários (CVM), a reguladora do mercado de capitais. Por quase três semanas, Benchimol e seus sócios mais próximos fizeram jornada dupla: colocavam o IPO de pé durante o dia, em reuniões intermináveis com banqueiros e investidores, e brigavam cláusula a cláusula com o Itaú madrugada adentro.

Mas não eram apenas o segredo e o desgaste físico que atormentavam Benchimol. A verdade, que não teve coragem de compartilhar com ninguém, é que ele não tinha convicção de que a venda para o Itaú era o melhor para a XP. Os méritos do negócio pareciam claríssimos. Ter o maior banco privado do Brasil como sócio representava, para a XP, um definitivo selo de qualidade, dando aos clientes mais reticentes a segurança necessária para deixar seu dinheiro investido lá. E o Itaú garantia a Benchimol e seus sócios autonomia para tocar a XP como bem entendessem. Em suas conversas com os sócios mais próximos, ele defendia de forma calorosa a sociedade com o Itaú. Mas, no fundo, nem ele sabia direito se aquele era o caminho certo.

Ao longo dos anos, a XP centrou todo o seu discurso num ataque feroz aos bancos e à forma com que investem (mal) o dinheiro dos poupadores brasileiros. Essa narrativa era a razão de ser da empresa. Como explicar, agora, que justamente o Itaú seria o dono de 49,9% da XP? Guilherme sabia que a transação seria vista por muitos como uma traição. A devoção dos funcionários da XP a essa guerra santa contra os bancos era tanta que alguns chegaram a chorar diante dos chefes quando souberam da negociação que se dava. Em casa, Ana Clara, sua mulher e sócia da XP nos primeiros anos, explicitava sua contrariedade. "Você não precisa do Itaú", dizia a cada noite após ouvir as últimas notícias das negociações. Guilherme rebatia. Mas a verdade inconveniente é que Ana Clara tinha um argumento poderoso: aceitando a oferta do Itaú, a XP corria o risco de perder sua identidade. Virar o rebelde que aderiu ao sistema.

O sol já raiava quando Guilherme terminou a segunda volta no Ibirapuera e começou o caminho de volta para a Faria Lima. Abrir o capital e seguir sozinho, como defendia Ana Clara, era de fato tentador. Os bancos que assessoravam a XP no processo estimavam que, no melhor cenário, a empresa poderia ser avaliada pelos investidores em 15 bilhões de reais. Guilherme e seus sócios continuariam comandando o negócio, ficariam riquíssimos e não teriam de dormir com o inimigo.

Mas, a cada passo que dava em direção ao IPO, Guilherme pensava: "Não é isso que eu quero para a minha vida agora." Passar horas em apresentações com investidores em Nova York ou Londres, dar satisfações trimestrais a milhares de acionistas e se preocupar com a oscilação diária no valor das ações — tudo isso parecia a essência da perda de tempo para ele.

A venda para o Itaú, por outro lado, tornaria sua vida mais simples. Mesmo desembolsando pouco mais de 6,5 bilhões de reais, o Itaú estava se comprometendo a deixá-lo no comando da XP por ao menos outros dezesseis anos. Ele teria, assim, fôlego renovado para planos de crescimento mirabolantes. A associação com o Itaú, concluiu, faria a XP tirar ainda mais clientes do próprio Itaú. O caminho romântico seria partir para o IPO. Contudo, naquele momento, talvez não fosse o mais pragmático nem o melhor para o futuro da companhia. Depois de dar a segunda volta no Parque do Povo, nas imediações da marginal Pinheiros, Guilherme se deu conta de que passara duas horas e meia correndo. Seu relógio marcava uma distância percorrida de trinta quilômetros. Voltou para o flat, tomou banho e às oito e meia da manhã estava no escritório da XP.

— Galera — disse ao entrar —, ainda dá tempo de desistir.

Mas ele já sabia — havia chegado sua hora de fazer história.

Doze bilhões de reais. Ainda era difícil acreditar que a XP valia tudo aquilo. Fundada em 2001 numa salinha dentro de uma corretora em Porto Alegre, a XP cresceu às margens do mercado financeiro tradicional. Enfrentou, ao longo dos seus dezesseis anos, uma brutal desconfiança da concorrência — seu modelo de negócios era tido como arriscado e seus sócios, considerados pouco sofisticados. A XP competia para atrair investidores que tinham, a seu alcance, dezenas de instituições financeiras muito mais poderosas. Tradicionalmente, clientes endinheirados deixavam suas fortunas nas mãos de bancos estrangeiros ou gestoras especializadas. E o grande público ficava nas mãos dos bancos de varejo, como Itaú, Bradesco e Banco do Brasil. Por décadas foi assim. Até que o modelo de negócios da XP mudou tudo.

Vivemos a era das empresas "disruptivas", aquelas que viram um setor inteiro de pernas para o ar, derrubando modelos de negócios antigos e tidos como imbatíveis. Foi assim com Uber, WhatsApp, Netflix, Rappi e tantas outras. Essas empresas valem bilhões de dólares porque crescem muito — e, mesmo que em alguns casos não tenham lucro, carregam a promessa de que um dia serão tão grandes que o sucesso financeiro será inevitável. Em 2017, a XP liderava uma revolução nas finanças pessoais de milhões de pessoas, um fenômeno que passou a ser conhecido como "desbancarização". Milhares de clientes dos "bancões" abriam contas na XP todos os meses, e num ritmo de crescimento que não tinha precedentes.

A XP valia tanto dinheiro em maio de 2017 que o Itaú e outros bancos perceberam a realidade — estavam diante de uma empresa disruptiva.

Demorou muito para que a XP se transformasse nesse fenômeno. Nos primeiros anos, para escapar da falência certa e ganhar algum dinheiro, Guilherme e seus sócios começaram a dar cursos de investimento em ações. Seis anos depois, compraram uma corretora praticamente quebrada no Rio de Janeiro. Só depois que a crise de 2008 ameaçou a sobrevivência da XP eles decidiram copiar a gigante americana Charles Schwab, criando um "shopping financeiro" que passou a oferecer produtos de diversos bancos e gestoras de fundos, naquilo que no jargão do mercado é conhecido como "plataforma aberta" de investimentos. Em 2015, Benchimol e seus sócios já tinham uma empresa de sucesso, mas a XP era uma entre dezenas de instituições financeiras locais bem-sucedidas.

Foi ali, cerca de catorze anos depois da fundação da XP, que a "disrupção" começou a ganhar força.

O indicador mais importante para uma empresa como a XP é o total de dinheiro que seus clientes investem por meio dela — o dinheiro "sob custódia". Em 2014, a XP captava 500 milhões de reais por mês, em média. Passou para 1 bilhão de reais por mês em 2015, 2 bilhões de reais por mês em 2016 e 4 bilhões de reais por mês em 2017. Em abril daquele ano, a XP já tinha 85 bilhões de reais sob custódia e mais de 400 mil clientes. Com o lucro que obtinham, Guilherme e seus sócios pisavam fundo no acelerador. Compraram os maiores concorrentes independentes e começaram a investir pesado em anúncios na televisão, captando ainda mais clientes e ganhando mais dinheiro. Para a XP, era o início de um círculo virtuoso. Para os concorrentes, o início de uma avalanche.

Diante daquela campanha midiática e no boca a boca, pessoas que tinham seu dinheiro aplicado de forma automática no banco onde recebiam o salário começaram a ouvir falar na XP e seu "shopping financeiro". Os novos clientes da XP trocavam o fundo de renda fixa, que cobrava uma taxa altíssima, por Certificados de Depósitos Bancários, os tais CDBs, emitidos por bancos médios, que rendiam o dobro. Abandonavam fundos de renda variável — que, investindo, por exemplo, em apenas uma ação, cobravam 3% ao ano de taxa de administração — e investiam em fundos imobiliários. Encerravam suas cadernetas de poupança, produto financeiro que, mesmo com rendimento pífio, ainda é o preferido de milhões de brasileiros.

Não é que quem entrasse na XP começava a ganhar dinheiro milagrosamente em aplicações complexas. Era mais simples do que isso, e por isso mesmo mais poderoso. Sair de bancos significava deixar de perder dinheiro à toa em taxas, parar de receber ofertas de títulos de capitalização e outras pegadinhas desenhadas para tirar dinheiro dos clientes. Isso já fazia uma diferença e tanto. Bastava entrar no site para abrir uma conta, sem ter de ir a uma agência ou enfrentar filas. Em minutos, no aplicativo do celular, estavam à disposição fundos dos gestores mais famosos do país. A chamada "experiência do consumidor", que entraria em voga com a ascensão das fintechs — as startups do setor financeiro —, era simplesmente incomparável na XP.

Já com certo fôlego financeiro, a XP começou a isentar investidores de taxas, o que reforçava a percepção de que era mais barato deixar o dinheiro aplicado lá. É claro que, para alguns investidores novatos e ansiosos, tanta facilidade também acabava sendo um risco. Mas o fato é que, à medida que se tornava mais conhecida, a XP finalmente ia vencendo uma barreira tida como intransponível — os clientes endinheirados, antes desconfiados de que a empresa não era séria, ou segura, ou as duas coisas, passaram a abrir contas aos milhares e a deixar quase metade de seu patrimônio investido na plataforma da companhia.

Impulsionando o crescimento da XP estavam mais de 2 mil assessores financeiros conhecidos no mercado como "agentes autônomos". Esses profissionais são ligados a uma corretora, mas têm escritório independente e sua própria carteira de clientes. A XP foi pioneira nesse modelo, por muito tempo visto como arriscado demais por concorrentes, temerosos de que a relação com o agente autônomo pudesse ser interpretada na Justiça como uma relação de trabalho, o que poderia gerar um enorme passivo. Alguns bancos e corretoras chegaram a testar esse tipo de relacionamento comercial antes, mas nunca com escala. Enquanto a concorrência ficava com medo, aguardando o dia em que a XP fatalmente quebraria, Guilherme e seus sócios montaram um exército. Na prática, era como se a empresa tivesse uma rede de agências bancárias, porém sem arcar com o custo. Em 2017, vários concorrentes tentavam replicar esse modelo.

Mas, àquela altura, a XP já estava anos-luz na frente.

Ninguém dominou o mercado financeiro brasileiro no século XXI de forma tão marcante quanto o banqueiro Roberto Setubal. Em 1994, quando assumiu o comando do Itaú, banco por décadas liderado pelo pai, Olavo, tinha 39 anos. Sob sua gestão, o Itaú, que já era grande, se agigantou. Setubal fez dezenas de aquisições, sempre com grau de ousadia e criatividade bastante acima da média. A maior delas foi a fusão com o Unibanco, em 2008, movimento que fez do Itaú o maior banco privado do país, superando pela primeira vez o Bradesco. Mas o Itaú se destacou também por fazer aquisições de alvos pouco óbvios, como o banco de investimento BBA e a seguradora Porto Seguro — operações em que virou sócio de nichos completamente diferentes de sua atuação no varejo, deixando o time das empresas compradas à frente do negócio. Transações desse tipo eram a marca registrada de Setubal.

Em fevereiro de 2017, quando recebeu um convite para uma conversa a sós com o chefão do Itaú, Guilherme Benchimol imaginou que o objetivo não fosse falar de amenidades.

Setubal havia sido fisgado. Cinco semanas antes, os principais sócios da XP tinham almoçado com alguns vice-presidentes do Itaú. O banco seria um dos coordenadores do IPO, e o objetivo não declarado do almoço era impressionar os executivos do Itaú com os últimos resultados da XP, suas projeções para o futuro e o impacto negativo que aquele crescimento todo teria sobre os grandes bancos, o Itaú inclusive. Martin Escobari, sócio da gestora americana General Atlantic e investidor da XP, tinha sido o patrocinador daquele encontro — a XP caminhava para o IPO, mas não custava ter um plano B, mesmo que parecesse impossível.

"Estamos incomodando mesmo", pensava Benchimol enquanto subia no elevador até o terceiro andar da sede do Itaú, no bairro do Jabaquara, zona sul de São Paulo. Meses antes, num movimento sem precedentes, o banco havia aberto sua plataforma de fundos para que seus investidores tivessem acesso a gestoras independentes. Era uma clara tentativa de diminuir o ritmo da debandada de clientes para a XP.

Àquela altura, os correntistas do Itaú transferiam cerca de 1 bilhão de reais por mês para suas contas na XP: gotas no oceano de depósitos do Itaú, mas gotas que, a cada dia, ficavam perigosamente maiores.

Aquele era o encontro de financistas de origens completamente diferentes. Aos 62 anos, Setubal era descendente de uma linhagem que remontava ao Império. O pai havia sido um dos maiores banqueiros do país, além de prefeito de São Paulo e ministro de Estado. Benchimol era filho de pais de classe média, e sua ligação com o mercado financeiro havia começado no fim dos anos 1990, quando cursava economia no Rio de Janeiro. Setubal assumiu um colosso e seu mérito foi transformá-lo e turbinar seu crescimento. Benchimol, por sua vez, havia começado sem um tostão no bolso.

— Estou vendo que você quer abrir o capital. Será que não tem espaço para fazermos algo juntos? — perguntou Setubal.

— Vamos conversar — respondeu Guilherme, sem se comprometer. — Mas como a gente colocaria isso de pé?

Ele suspeitava que o Itaú quisesse comprar o controle da XP, e isso Benchimol não aceitaria.

Setubal puxou, então, uma folha de papel A4 e começou a desenhar a estrutura de uma possível transação com a XP. O Itaú compraria 49,9% das ações, mantendo Benchimol no controle da operação, numa estrutura à parte, tocando a vida sem interferência — o banco teria representantes no conselho de administração da XP. O modelo havia sido adotado oito anos antes quando o banco se tornou sócio da Porto Seguro. Ele estava sugerindo, essencialmente, que o Itaú substituísse a abertura de capital. Seria uma jogada típica de Setubal. Comprando metade da XP, o Itaú diminuiria o peso da perda de clientes e ainda teria metade do lucro oriundo da conquista de investidores insatisfeitos de concorrentes como Bradesco, Santander e Banco do Brasil.

E era exatamente o tipo de proposta que Guilherme queria ouvir.

E qual seria o valor da XP? Atribuir um preço a uma empresa como aquela não era tarefa fácil. Seu lucro projetado para 2017 era de 420 milhões de reais, quase o dobro do ano anterior. O Itaú valia, em bolsa, onze vezes seu lucro. Pela mesma métrica, a XP deveria valer cerca de 5 bilhões de reais. Mas, como acontece com empresas de alto crescimento, o maior valor da XP não era o lucro de hoje, e sim seu potencial — a base de clientes, afinal, dobrava a cada ano. Era a tal empresa disruptiva, e empresas disruptivas valem muito mais do que as outras. Quem comprasse ações da XP teria de estar disposto a pagar caro pelo lucro que, quem sabe, viria no futuro. Mas quanto?

Em processos de abertura de capital, uma empresa contrata um consórcio de bancos, e a primeira tarefa de cada um deles é atribuir uma faixa de valor de mercado esperada para o dia da venda de ações. Na recém-iniciada negociação com o Itaú, Guilherme já largava com uma vantagem e tanto. Os banqueiros e analistas do Itaú BBA, um dos coordenadores do IPO, haviam feito suas contas e atribuído um valor estratosférico à XP.

— Bom, Roberto — disse Benchimol, já preparado para responder à inevitável pergunta. — O próprio Itaú diz que nosso valor no IPO pode chegar a 15 bilhões de reais.

Setubal, que obviamente já conhecia as projeções do próprio Itaú, se comprometeu a encontrar um preço "justo" usando como referência a faixa entre 10 bilhões e 15 bilhões de reais estabelecida para a abertura de capital; 12 bilhões seria um número no meio do caminho. Quando se despediram, Guilherme deixou o banco exultante, mas também tenso. O IPO estava marcado para maio. Eles tinham, portanto, poucos meses para colocar um dos maiores negócios da história do mercado financeiro brasileiro de pé.

Enquanto saía da sede do Itaú, Guilherme só pensava em dar a notícia a Julio Capua. Sócios havia treze anos, Guilherme e Capua eram amigos desde a infância — quase irmãos, na verdade. O pai de Guilherme e a mãe de Capua se casaram depois dos respectivos divórcios, e os dois engataram o que seria uma longa amizade. Em 2004, três anos depois da fundação da XP, Capua abriu mão de um MBA no exterior e, com o dinheiro, comprou uma participação na empresa. À época, a XP tinha um lucro anual de 30 mil reais. O sonho compartilhado pelos dois era juntar um dinheirinho, largar tudo e morar em Florianópolis. Sofreram juntos, cresceram juntos, enriqueceram juntos e, em 2017, era natural que formassem uma espécie de "núcleo duro" da XP.

— Cara, eles querem mesmo.

— Fodeu! — respondeu Capua de forma sucinta.

Chegando ao escritório na Faria Lima, Guilherme convocou o "núcleo duro expandido", formado por Capua, Carlos Alberto Ferreira Filho (o Carlão), Daniel Lemos, Gabriel Leal, Fabrício de Almeida e Bernardo Amaral. Todos aguardavam ansiosamente notícias da reunião com Setubal. Muitos eram céticos em relação à chance de um negócio com o Itaú dar certo. Primeiro, por uma questão de prazo — como fechar a venda de 49,9% para o Itaú em meses, antes do IPO? E alguns sócios suspeitavam que o Itaú queria, na verdade, ter acesso liberado a todas as informações sensíveis da XP para depois copiar seu modelo, deixando a XP sozinha no altar e com um concorrente fortalecido.

Nascia ali o Projeto Novo, como aquele pequeno grupo de sócios apelidaria a negociação secreta com o Itaú. Somente uma pessoa de fora saberia das conversas desde seu início — o boliviano Escobari, já que a General Atlantic tinha uma participação de 49% na XP. Escobari era um dos principais interessados na abertura de capital, pois a oferta de ações representaria para ele a chance de começar a realizar um lucro de alguns bilhões de reais. Mas o investidor, que com sua experiência sabia da importância de ter um plano B, também havia sido um dos grandes incentivadores da aproximação com o Itaú. Uma aproximação discreta orquestrada por ele que durou quase dois meses. Só depois disso foram envolvidos José Berenguer, presidente do banco de investimento J.P. Morgan Brasil, e Amir Bocayuva, sócio da banca de advogados Barbosa Müssnich Aragão, uma das mais tradicionais do país. Um dos nove bancos contratados para assessorar a abertura de capital, o J.P. Morgan havia sido destacado como o único que participaria também das negociações com o Itaú. Bocayuva, por sua vez, era o advogado de absoluta confiança de Benchimol e negociador de cada contrato importante da XP havia uma década.

Ao longo dos três meses seguintes, esse grupo negociou em segredo o acordo mais importante e mais complicado da história da XP. Um acordo que morreu, renasceu, levou todos à exaustão, alguns às lágrimas e, no fim da tarde de 11 de maio, estava finalmente pronto para ser assinado.

A HISTÓRIA DO CAPITALISMO está repleta de empreendedores que deram errado antes de dar certo. Sam Walton falhou algumas vezes antes de fundar o Walmart, em 1962, e nas décadas seguintes transformá-lo no maior varejista do mundo. Com Walt Disney, fundador da maior empresa de entretenimento do planeta, aconteceu a mesma coisa. Steve Jobs foi demitido da presidência da empresa de tecnologia que fundara para, doze anos depois, voltar e iniciar uma revolução que faria da Apple a primeira companhia do mundo a valer 1 trilhão de dólares. Histórias como essas inspiram milhares de jovens empreendedores mundo afora, dispostos a arriscar uma, duas, três vezes, até darem certo. Gente como Guilherme Benchimol, que após uma demissão traumatizante aos 24 anos decidiu largar a família, sua cidade e os amigos para recomeçar do zero.

A XP é filha das derrotas pessoais de Guilherme e dos efeitos que elas tiveram ao moldar sua personalidade. Suas conquistas foram todas obtidas, como ele gosta de dizer, "na raça". Ele nunca foi o melhor aluno da classe nem aquele que mais parecia ter vocação para o estrelato. Depois de suar para se formar em economia, tentou dezenas de vezes entrar para algum dos bancos de investimento mais arrojados do país nos anos 1990. Conseguiu, mas seu momento de maior destaque foi confundir uma ordem na mesa de operações. Em meio a tudo isso, tentou empreender, também sem sucesso. Quando finalmente arrumou um emprego que o satisfazia, na corretora Investshop, foi vítima da explosão da bolha da internet, no início da década de 2000, e acabou demitido. O pai, um médico bem-sucedido de jeitão severo que incutiu nele a importância de dar duro, saía do sério.

Diante de tantos reveses, fugiu envergonhado do Rio de Janeiro, mudou-se para uma quitinete em Porto Alegre e, em 2001, abriu, juntamente com o gaúcho Marcelo Maisonnave, a própria empresa de investimentos. Dada a total falta de inspiração e, talvez, de ambição de ambos, batizaram-na de XPTO — termo usado para designar algo genérico, sem personalidade. Logo encurtaram o nome pela metade. Assim nasceu a XP, e essa oportunidade Guilherme não jogaria fora.

Se uma característica pessoal de seu fundador ajuda a explicar o sucesso da XP, sem dúvida é a sua persistência. Após os reveses da juventude, ele se agarrou ao primeiro sucesso com uma força quase sobrenatural. Em momentos de crise, e eles foram muitos, acumulou funções, vendeu o carro para pagar as contas, abriu mão de dinheiro, engordou, quase quebrou, brigou com sócios. O modelo de negócios que atraiu o Itaú foi sendo construído aos poucos, meio aos trancos e barrancos. O bilionário sucesso, que, no fim das contas, acabou vindo, quase sempre pareceu mais um sonho distante do que uma realidade palpável.

A XP nasceu como um agente autônomo de investimentos, escritório que administra o dinheiro de clientes tendo como parceira uma corretora. Mas só começou a dar algum lucro quando os dois fundadores deram início a uma série de aulas de finanças pessoais para pequenos investidores gaúchos. A partir daquela base educacional, a XP foi se transformando.

A empresa se metamorfoseou sem parar por mais de uma década, até que Guilherme finalmente encontrasse o time que o satisfaria. Em determinado momento da história, ele forçou a troca de quase toda a cúpula da XP. O próprio Marcelo deixou a empresa em 2014 após um choque com o cofundador, o que rendeu a este a fama de centralizador. Para Guilherme, era apenas a seleção natural funcionando dentro de uma *partnership* em que só os mais fortes devem sobreviver. A empresa estava acima de tudo.

A XP teve sua cultura corporativa, que se mantém a mesma até hoje, forjada nos tempos de penúria. Sonha-se alto, mas gasta-se pouco. Viagens de classe executiva são proibidas. A empresa não oferece carros aos executivos, plano de pensão corporativo nem aqueles mimos típicos das startups da moda, como comida grátis. Guilherme nunca pediu um reembolso de despesas e espera que os demais façam como ele — quer, em suma, que compartilhem sua "dor de dono". A vida é dura, como demonstrado pela alta rotatividade no quadro de sócios. A rotina de trabalho começa às oito da manhã e parece não acabar nunca. Em compensação, todos têm a chance de enriquecer. Jovens destacados compram ações financiados pela própria empresa, num modelo semelhante ao trazido ao Brasil pelo banco Garantia, fundado por Jorge Paulo Lemann em 1971.

Esse modelo também sempre atraiu agentes autônomos às centenas, o que aumentava o exército de vendas da XP. Muitos são ex-gerentes de bancos que abandonam a segurança de trabalhar numa grande empresa atraídos pela promessa de ganhar fortunas empreendendo. Foi, afinal, o caminho trilhado pelo próprio fundador da XP. Nos casos mais bem-sucedidos, esses profissionais se reuniram em escritórios que, individualmente, chegavam a 3,8 bilhões de reais em capital de clientes.

ÀS QUATRO DA TARDE, Guilherme foi chamado para o *bunker* das negociações, uma sala de reuniões no escritório Barbosa Müssnich Aragão tomada havia quase dois meses pela papelada da XP. Os contratos estavam prontos. Ao longo do dia, todos os sócios concordaram que o negócio com o Itaú era a melhor opção. Guilherme assinou o contrato e estourou uma garrafa de champanhe levada por um garçom do escritório. Com a venda de 37,4% de suas ações, receberia 1 bilhão de reais. No total, sua participação na XP estava avaliada em 2,7 bilhões de reais.

Mas ele e seus sócios, bem a seu estilo, tinham certeza de que o melhor estava por vir. Nada poderia pará-los agora. A XP, pensava Guilherme, poderia ser maior que o próprio Itaú.

Por que não?

1

UM CARA "RAÇUDO"

Nascido no Rio de Janeiro em 1976, Guilherme Benchimol teve uma infância confortável e apertada ao mesmo tempo. Com pais separados desde os sete anos de idade, sua vida era dura quando estava com a mãe, mas o padrão dava um salto quando ele passava os fins de semana na casa do pai. Lígia, a mãe, era artista plástica e morava com os filhos, Guilherme e Ana Luísa, num apartamento pequeno de dois quartos no bairro do Jardim Botânico, zona sul do Rio de Janeiro. Cláudio, o pai, era um cardiologista de sucesso, e a clientela fiel garantia o patrimônio que incluía um apartamento de duzentos metros quadrados no Leblon, bairro mais caro da cidade.

Como costuma acontecer, a separação de Cláudio e Lígia marcou a infância de Guilherme. Seus pais haviam começado a namorar durante a festa de quinze anos da mãe, casaram quase uma década depois e ficaram juntos mais uma década. O avô paterno de Guilherme, Aarão, era membro da Academia Nacional de Medicina e morava num casarão em Santa Teresa que depois seria transformado em estúdio da TV Globo. Cláudio seguiu os mesmos passos e sustentava a família, que tinha casa em Angra dos Reis, e todos os pequenos luxos que seu sucesso profissional podia comprar. Até que o divórcio pôs um fim àquela infância idílica.

Os pais haviam se casado com separação total de bens, e Cláudio não dava moleza para a ex-mulher e os filhos. Pagava a escola particular das crianças, o colégio São Vicente de Paulo, no Cosme Velho, zona sul do Rio. Dava uma mesada que equivalia ao custo de uma consulta em seu consultório. E só. Assim, Guilherme e a irmã viviam uma vida dupla. A mãe driblava o orçamento apertado, vetando o uso do ar-condicionado à noite para não estourar a conta de luz. O dinheiro era tão curto que acabaram se mudando para a casa da avó a fim de economizar. Já nos fins de semana, os irmãos jogavam tênis no Jockey Club, um dos redutos da elite carioca.

De origem judaica, o clã Benchimol já havia se convertido ao catolicismo quando Guilherme nasceu. Cláudio transmitiu para os filhos a educação rígida que recebeu dos pais. Ao mesmo tempo em que se dedicava intensamente aos estudos e aos pacientes, cobrava dos filhos notas altas e comportamento exemplar. Perguntava a eles se tinham escovado os dentes antes de dormir mesmo quando já tinham passado dos quinze anos. Mas cobrava que andassem com as próprias pernas financeiramente. Nada de dinheiro extra para compras, viagens ou uma saída com os amigos. Se quisessem prazeres individuais, teriam de ganhar seu próprio dinheiro.

Seria um tremendo exagero dizer que Guilherme passou dificuldades em relação a qualquer necessidade básica, mas a penúria da mãe e a ligeira avareza do pai geravam nele a sensação de que a vida era mais difícil do que devia. Os amigos, afinal, viviam com a rédea financeira muito mais solta. "Não quero ter uma vida apertada", pensava com frequência. Já na infância, tentava "empreender" do jeito que fosse para gerar uma renda a mais. Montava uma feirinha na rua, na porta do prédio, e vendia brinquedos usados. As amigas da avó iam à sua casa, e ele bolava uma rifa.

Quando Guilherme tinha onze anos, o pai começou a namorar Elizabeth Capua, que também vinha de um divórcio e tinha um filho, Julio Capua. Acabaram morando juntos por oito anos. Nesse período, foi se estabelecendo entre Guilherme e Julio uma conexão de amizade e certa rivalidade — o pai convivia mais com Julio do que com Guilherme, que só aparecia nos fins de semana. O grupo era unido pelo tênis: jogavam juntos e Guilherme fazia dupla com Elizabeth, também craque jogadora de pôquer.

O irmão postiço carregava no DNA parte da história do mercado financeiro nacional. O pai de Julio, José Carlos Ramos da Silva, havia fundado o banco Garantia juntamente com os sócios Jorge Paulo Lemann, Luiz Cezar Fernandes, Guilherme Arinos Franco, Adolfo Gentil e Hersias Lutterbach. Inspirado no banco americano Goldman Sachs, o Garantia revolucionara o mercado brasileiro com sua capacidade de atrair e enriquecer os melhores profissionais. A base do modelo do Garantia era um sistema meritocrático que extraía o melhor das pessoas mesmo que o custo fosse a exaustão completa — uma "máquina de moer gente", na expressão que se consagrou. Na casa de Capua, o pai banqueiro estabeleceu uma mesada variável desde os doze anos, que batizou de "meritocracia da mesada". Quanto maior a nota, maior o multiplicador da mesada básica. Os números iam sendo calibrados conforme a idade. Quer uma raquete nova? Tire nota alta que terá o dinheiro para isso. Se não passar de ano direto, fica fora da viagem de férias da família.

Guilherme era um aluno mediano, péssimo em história e português, bom em matemática. Mas os estudos de fato não eram sua prioridade. Jogou tênis dos cinco aos quinze anos, e no fim do período chegou a pensar, a sério, em virar profissional. Jogou seu primeiro torneio no Jockey Club aos dez anos, e aquele seria o auge de sua carreira. Para ganhar experiência, inscreveu-se na categoria de onze a catorze anos. Acabou campeão na final contra Vitor Belfort, que anos depois ganharia fama mundial como lutador de artes marciais. Na hora de decidir para valer se se tornaria ou não profissional, o pai cortou suas asinhas. Foi exigindo mais dos estudos, diminuindo as aulas de tênis, até que Guilherme desistiu. A paixão por esportes, no entanto, seria um traço mantido até muitos anos depois, quando Guilherme tirava férias para fazer ultramaratonas e corridas de aventura, circuitos que chegam a 120 quilômetros cortando montanhas e em que os corredores acabam perdendo até seis quilos.

Seu ídolo de infância era o piloto Ayrton Senna. Para ele — assim como para a maioria dos garotos nascidos nas décadas de 1970 e 1980 —, Senna era um ícone do sucesso, de carisma, de persistência. Muito depois da sua morte, em 1994, Senna continuaria exercendo fascínio sobre Benchimol — ele era, afinal, o cara que transformava missões impossíveis em possíveis porque sua fome de vitória era simplesmente maior que a dos outros. "Além de tudo, o cara morre lutando", repetia aos amigos sobre o piloto que morreu num acidente em Imola, na Itália. Uma de suas grandes diversões na infância era observar Senna treinando no condomínio Portogalo, em Angra, onde Cláudio também tinha casa. Depois dos quarenta anos, Guilherme ainda assistia a todas as corridas de Fórmula 1, inclusive aquelas no meio da madrugada (já empresário, conheceu Viviane Senna, a irmã do piloto, e comprou um capacete autografado por ele, que colocou na recepção da XP).

Até os quinze anos, Benchimol queria ser médico como o pai e o avô, ou ao menos dizia que queria. Encontrar o pai em plantões nos fins de semana, ter pacientes em comum — e, quem sabe, impressionar o dr. Cláudio. Na adolescência, acompanhou algumas cirurgias cardíacas executadas por ele. Aos quinze, foi assistir a uma coronariografia, um exame diagnóstico feito com a implantação de um cateter. O paciente tinha uma alergia rara e difícil de ser detectada que era ativada pelo contraste usado para fazer o exame. A equipe médica passou vinte minutos fazendo massagens cardíacas e dando choques no coração do paciente para ressuscitá-lo. Mas não teve jeito. O adolescente acompanhou o pai no corredor do hospital até que este desse à mulher do paciente a notícia de sua morte. Terminou ali o que seria a carreira de médico de Guilherme Benchimol.

Definir o que se quer fazer para o resto da vida não é uma tarefa fácil para a imensa maioria dos adolescentes, e Guilherme estava perigosamente perdido, embora o vestibular se aproximasse. Foi no fim daquele ano em que ocorreu o episódio do hospital, 1992, que ele teve a primeira pista. A revista de negócios *Exame* estampava o rosto do banqueiro Luiz Cezar Fernandes na capa, com o título "Ele fez fortuna no caos". O banco Pactual, fundado por Fernandes, André Jakurski e Paulo Guedes, completava dez anos e comemorava lucros extraordinários num ano em que a economia brasileira ficara quase paralisada. Guilherme, que pouco se interessava pelo noticiário, leu a reportagem do início ao fim. O eixo do texto era a história de empreendedorismo de Fernandes, um *self-made man* que superara a dislexia, a família disfuncional e o baque da saída do Garantia, banco do qual era um dos principais sócios, para criar o Pactual. Fernandes era um daqueles personagens que os americanos chamam de *larger than life*: cachimbo sempre pendurado na boca, tinha dois helicópteros, dava concorridas festas à fantasia em sua mansão na serra de Petrópolis e vivia nos jornais, sempre falando mais do que devia. Ele podia até não ser o banqueiro mais rico do Brasil, mas certamente parecia ser. Aquela história novelesca indicou um caminho para Benchimol.

A hora da verdade ia chegando, e 1994 era o último ano da escola. Com pressa de começar a ganhar dinheiro e pagar as contas, arrumou uma espécie de estágio na Expresso Aéreo, uma empresa de *courier* de um paciente do pai. Alguns amigos já estavam fazendo dezoito anos e ganhando carro importado dos pais. Ir para a balada de quinta a sábado, como os colegas de turma, era impensável com o orçamento de Guilherme. A falta de dinheiro incomodava mais e mais. Para ajudar os alunos a definir suas carreiras, o colégio São Vicente vinha organizando visitas a faculdades e palestras. Uma das palestras, que aconteceria no auditório da PUC, chamou a atenção de Guilherme. Luiz Cezar Fernandes, em pessoa, falaria aos alunos da faculdade. O Pactual usava aquelas palestras para recrutar jovens recém-formados sedentos por tentar a sorte no mercado financeiro. Fernandes descreveu as atividades do mercado financeiro e a lógica de funcionamento de um banco em que os mais jovens podem se tornar sócios e enriquecer. Jovens como Guilherme. Ali ele decidiu. "Quero mexer com dinheiro. Chega de passar perrengue", concluiu depois de uma hora de palestra.

O estranhamento dos pais foi absoluto quando ele comunicou a decisão de cursar economia. Embora tivesse certa afinidade com matemática na escola, ele não demonstrava interesse algum pelos grandes temas econômicos da época, marcada pelo Plano Real e o fim da hiperinflação. Guilherme queria entrar para a PUC, considerada a melhor do país em economia e com uma profícua relação de fornecimento de mão de obra para os melhores bancos de investimento brasileiros. O pai bateu pé. Para ele, só uma universidade federal poderia dar ao filho o currículo necessário. Além disso, uma era de graça, a outra não. A UFRJ, alegou Guilherme, só formava acadêmicos, e essa era a última coisa que ele queria fazer na vida. O sonho era ir para o mercado financeiro, e a UFRJ atrapalharia mais do que ajudaria. Os grandes bancos iam recrutar os jovens na PUC ou na FGV. Mas não houve jeito.

Em 1995, Benchimol estava na sala de aula na UFRJ, louco para arrumar logo um emprego.

Assim como a economia brasileira, o mercado financeiro nacional passou por uma transformação na década de 1990. Até o Plano Real, era impossível saber o que aconteceria no país alguns meses à frente. A cada repique inflacionário, o governo de plantão mudava as regras do jogo de forma brutal — congelamento de preços, confisco da poupança e outras maldades foram colocadas em prática, sem sucesso. Num cenário como esse, de altíssima volatilidade, os reis do mercado eram operadores de mesa que ganhavam suas fortunas especulando. Quase sempre, apostando que o mais novo plano econômico iria fracassar. Invariavelmente acertavam.

O sucesso do Plano Real mudou esse quadro. Com uma moeda estável, empresas e pessoas conseguiam planejar o futuro com algum grau de confiança. Para o mercado financeiro, a consequência dessa mudança foi o surgimento de um mundo novo de possibilidades além da especulação. Mercados como o de renda fixa, em que se negociam títulos de dívida do governo e das empresas, deram um salto de sofisticação. A bolsa, antes aquele faroeste sem lei em que só os de estômago forte sobreviviam, também mudou. A partir dali, ganhava dinheiro quem entendesse os fundamentos das empresas, para onde estava indo seu mercado e qual delas poderia ser privatizada. Ganhar dinheiro deixou de ser só questão de estômago. Virou questão de cérebro também.

Essa sofisticação mudou o tipo de profissional na mira dos bancos. Gente com formação no exterior e inglês fluente, antes desprezada por operadores de mesa ricos e broncos, passou a valer ouro — MBA fora ou graduação nas melhores escolas de engenharia ou matemática do país tornaram-se pré-requisito para quem pretendia operar no mercado. O que só tornou as coisas mais complicadas para o estudante de economia Guilherme Benchimol, que não tinha nada disso.

Recém-chegado ao curso de economia da UFRJ, começou a disparar currículos para bancos e corretoras. Estudar não era com ele; queria trabalhar e entrar no mercado. Enviava uma cartinha escrita à mão pelo correio e uma cópia do histórico escolar. Os bancos exigiam alguma experiência, além de inglês fluente — mas Guilherme ainda tropeçava na língua e não tinha experiência alguma. Do início ao fim da faculdade, foram quase trinta tentativas de entrar em algum dos maiores grupos financeiros do Rio: os bancos Pactual, Garantia, Opportunity, BBM, Bozano, Simonsen e Icatu. Estar na universidade federal atrapalhava. Guilherme mandou diversas cartas para o Pactual. O banco de Luiz Cezar Fernandes nunca respondeu.

No primeiro período, Guilherme conseguiu um estágio na corretora Sênior, mas só havia vagas no *back office*. No jargão do mundo financeiro, *back office* significava qualquer área de apoio que ralava para possibilitar aos operadores brilhar. Entrar no mercado daquele jeito era a regra do jogo. O banco Garantia havia consagrado essa forma de contratar jovens, que pelejavam por alguns semestres desempenhando tarefas árduas e tidas como subalternas. Era comum que estagiários bem-nascidos e bem formados passassem seis meses entregando cartas e documentos pelo centro do Rio, naquilo que era conhecido como "balé do asfalto". A rotina era deliberadamente massacrante: uma forma de testar quem tinha condições de aguentar a vida estressante do mercado. Os melhores eram promovidos à mesa de operações e começavam a ganhar dinheiro. Quem não aguentava, ia embora. Marcel Telles, hoje sócio do fundo 3G e um dos homens mais ricos do mundo, começou no *back office* do Garantia. André Esteves, hoje o maior acionista do BTG Pactual, teve início semelhante no Pactual. Todo jovem sonhava em seguir esse caminho. A trajetória de Guilherme, no entanto, seria um pouco mais complicada.

A vida na Sênior foi tediosa. Ele passava as longas horas do estágio fazendo liquidação de papéis. Levou trotes em sequência, inclusive o clássico — aquele em que o chefe manda o estagiário "fechar a bolsa" lhe entregando uma chave em mãos. Na hora do almoço, deixava os currículos nos bancos de primeira linha. A Sênior tinha cerca de cinquenta funcionários. Quando soube de uma vaga no Icatu, ficou animado. Banco dos Almeida Braga, o Icatu era um dos três principais do mercado carioca, ao lado de Garantia e Pactual. Mais de trezentos candidatos concorreram a oito vagas, e Guilherme foi escolhido. Estava de novo no *back office*. O salário seria ainda menor do que o que recebia na Sênior, mas isso não importava. No Icatu, a chance de pular para a mesa e virar alguém era o estímulo de que precisava. Para isso, teria de praticamente abrir mão dos estudos. As aulas na universidade começavam diariamente às 7h30 e terminavam às 11h45. O estágio tinha início às nove. O jeito era pedir que algum colega assinasse a chamada e se desdobrar depois para copiar as matérias dos cadernos dos outros. Foi um começo caótico.

O tempo passava, e a oportunidade de migrar para a mesa de operações teimava em não vir. Ele continuava na fila. Sua função era repetitiva ao extremo. Ter uma rotina como essa por seis meses, tudo bem. Mas dois anos seguidos? O fato é que não conseguia se destacar para os chefes, que o achavam um cara normal, sem brilho.

Num dia frenético, Guilherme finalmente foi chamado para ajudar na mesa dando ordens de compra ou venda de ações para os clientes. Seu chefe, tentando acalmá-lo, esclareceu que qualquer um poderia executar aquela tarefa. Bastava fazer o que o cliente queria. No fim do pregão, um cliente ligou:

— E aí, Guilherme, conseguiu comprar quanto?

— Cara, era pra comprar? — respondeu, desesperado, o estagiário que tinha passado a tarde dando ordens de venda.

Dos dez estagiários, subiam dois ou três por ano na conclusão de curso. Guilherme já estava no Icatu havia dois anos, e ia perdendo as esperanças de que fosse um deles. A ficha, aos poucos, foi caindo. "Eu não sou um cara brilhante, não levo jeito para *trader*. Sou um cara raçudo. Tenho que encontrar o que fazer com isso." Criar a própria empresa, inventar algo novo, era sempre a alternativa que parecia possível. Mas o quê? Com que dinheiro? Em meados da década de 1990, a taxa de câmbio começava a favorecer as importações, e os modernos eletrodomésticos que poupavam o tempo da dona de casa ou da mulher que avançava no mercado de trabalho eram o frenesi das redes de varejo. Uma fabricante italiana estava lançando no país uma máquina de limpeza a vapor, o Vaporetto, e formando uma rede de representantes comerciais. Guilherme e um amigo montaram um plano de negócios para apresentar à empresa e se tornarem parte dessa rede de vendas. Nesse plano, eles seriam donos de alguns equipamentos, a serem alugados para terceiros. Mas a ideia não foi adiante. Nenhum dos dois tinha capital para colocar aquele plano de pé e eles desistiram no meio do caminho. O fracasso rendeu a Guilherme um apelido entre os amigos à época — Vaporetto.

Enquanto isso, ele ia se arrastando no Icatu, trabalhando das nove da manhã às oito da noite. A vida era chatíssima. Não sobrava tempo para nada, muito menos para estudar. As matérias da faculdade iam se acumulando. Guilherme deveria estar cursando quatro disciplinas por semestre, mas estava fazendo uma ou duas. O jeito foi começar a mentir quando o pai perguntava sobre o desempenho escolar. Dizia que estava tudo bem, sob controle, que tirava notas boas, estava passando em todas as matérias. Mas Cláudio andava desconfiado, pois via que o curso de economia ficava longe do centro de preocupações do filho no dia a dia. E começou a pedir para ver o boletim do marmanjo. Guilherme só enrolava, até que um dia recebeu uma ligação do pai furioso.

— Guilherme, estou aqui na faculdade e estou vendo que faltam dez matérias. Você me disse que se formava este ano, mas como você vai fazer dez matérias e o TCC em um semestre? — esbravejou. — Você vai sair do trabalho agora! Você é um moleque, não está estudando, começou a falar mentiras, está achando que a vida é o quê?

A casa caiu. Ele não tinha o que dizer. O pai estava irado pelas mentiras consecutivas e pelo descaso do filho com a formação acadêmica. Ele, afinal, tinha se tornado um dos mais procurados cardiologistas do Rio e membro da Academia Nacional de Medicina depois de se matar de estudar. Guilherme, por sua vez, não via sentido no curso de economia. Não queria aprender teorias econômicas, discutir marxismo e "um monte de coisa que não deu certo em lugar nenhum do mundo", resmungava. Mas a chamada do pai teve efeito imediato. Pediu demissão do Icatu e conseguiu fazer tudo em um semestre, formando-se em 1999.

Após a suada formatura, passou quase seis meses procurando emprego em vão. A falta de perspectiva era tamanha que chegou a pensar em voltar a ser tenista. Acabou sendo salvo pelo programa de trainee do banco Bozano, Simonsen. Fundado pelos banqueiros Júlio Bozano e Mario Henrique Simonsen em 1961, o banco estava montando uma inovadora plataforma de investimentos on-line, a Investshop. Aquilo era tudo com que Guilherme havia sonhado. A vaga não era no *back office* nem na mesa de operações. A Investshop era uma startup dentro do banco Bozano, criada para atender pessoas físicas que queriam fazer investimentos. Ele seria responsável por buscar novos clientes, os quais viriam de corretoras que se vinculariam à rede da Investshop — uma atividade em que ser "raçudo" era mais importante que qualquer coisa. Teve de enfrentar a timidez e descobriu o que parecia ser sua vocação comercial. Foi a décima terceira pessoa a integrar a equipe, coordenada por Paulo Ferraz, então presidente do Bozano. Ferraz tinha feito um MBA em Harvard e voltado dos Estados Unidos já com os rascunhos da ideia para a startup. Ele reuniu a equipe do banco e outros jovens economistas em uma palestra e disse que a Investshop ia mudar o mundo dos investimentos, fazendo o brasileiro aplicar melhor seu dinheiro. A corretora, continuou, valeria muito mais do que o Bozano, fundado quase quarenta anos antes. A chave seria democratizar o acesso a produtos financeiros, tirando o brasileiro das mãos dos grandes bancos.

Aquele discurso nunca sairia da cabeça de Guilherme.

Em janeiro de 2000, o Grupo Bozano foi vendido para o Santander, mas a Investshop ficou fora do negócio e continuou sob o comando de Paulo Ferraz. Os planos dos acionistas eram ambiciosíssimos e culminariam na abertura de capital da corretora na Nasdaq, a bolsa americana de tecnologia. O banco tinha sido vendido por cerca de 500 milhões de dólares. No entanto, Ferraz estimava que sua startup poderia valer 1 bilhão, considerando os múltiplos de receita de outras empresas de tecnologia que estavam sendo negociadas em bolsa americana. Sem que houvesse nenhuma proposta concreta, a Investshop foi sondada pela concorrente Patagon, que chegou a falar em 800 milhões de dólares.

O papel dos treze funcionários era angariar clientes, trazer corretoras e fazer a plataforma crescer rápido, para tornar viável a venda de ações e fundos, com uma marca nacional única. A principal função de Guilherme era acumular nomes para um cadastro — quanto mais gente cadastrada, mais potenciais clientes. Ele tinha 22 anos e seu chefe direto, 24. Dispunham de liberdade e orçamento para buscar essa lista de cadastros onde quisessem — em corretoras antigas, corretoras de seguros e pequenos bancos —, juntando os dados básicos de pessoas físicas e empresas. A Investshop investia em campanhas publicitárias com galãs de novelas da TV Globo para convencer pequenos investidores a abrir uma conta.

Foram dois anos se sentindo gente grande. O salário era de 2 mil reais. Para quem não havia se encaixado em lugar algum, era uma descoberta. Como ainda morava com a mãe, Guilherme começou a juntar algum dinheiro e se sentiu rico. Assumiu um perfil mais comercial — passava o dia falando com potenciais clientes, com empresas financeiras que poderiam colocar seus produtos na plataforma da corretora. Nos últimos meses, sua tarefa primordial tinha deixado de ser acumular cadastros para passar a convencer as corretoras a aderir ao sistema da Investshop, atraindo clientes em troca de maior oferta de produtos e, assim, gerando um potencial aumento de negociações. As corretoras virariam uma espécie de franquia, na prática, da Investshop. Guilherme gostava de ser chamado de gerente e tinha comprado uma moto Scooter. Viajava o Brasil falando com as corretoras — havia ocasiões em que tomava café da manhã no Rio de Janeiro, almoçava em São Paulo e encerrava o dia em Curitiba em reuniões, sem limitações de orçamento. Era estimulante. Estava feliz.

Àquela altura, a Investshop já tinha mais de 50 mil usuários cadastrados, vendendo 120 fundos. O problema é que ter esses cadastros todos era importante, mas não o bastante. Era preciso transformá-los em clientes com dinheiro aplicado na corretora. O mundo vivia o auge da bolha da internet, e questões mundanas como saber se uma empresa de tecnologia dava ou não lucro eram deixadas de lado. O que interessava aos investidores era o "potencial". Era natural, portanto, que a Investshop se concentrasse em expandir sua base de cadastros enquanto tentava atrair corretoras. Os clientes — e o lucro — podiam esperar.

Até que a bolha estourou em 2000, e as premissas sobre as quais negócios como a Investshop haviam sido construídos explodiram junto. Finalmente, analistas e investidores se davam conta de que todos aqueles planos e projetos e números inflados não iam necessariamente ser convertidos em lucro. E que companhias que não lucram não deveriam valer muito. Começou ali um efeito dominó para empresas de tecnologia do mundo todo. A internet era cercada de dúvidas sobre seu potencial como negócio. O mundo ainda era muito analógico. Investidores conversavam com seus gerentes de banco nas agências e a bolsa funcionava com pregão viva-voz. Na segunda semana de abril, o índice Nasdaq caiu 25%. Os ajustes na Investshop não tardaram a chegar. Pela primeira vez, falava-se na empresa em dar resultado financeiro, em corte de custos, em necessidade de gerar receitas. Quase um ano do estouro da bolha já tinha se passado, e a Investshop segurando as pontas — até que, sem resultados, não conseguiu mais manter sua estrutura. Guilherme ficou preocupado com seu futuro, mas ouvia dos amigos que era um funcionário dedicado, que não havia dúvida de que seria preservado. "Gente boa não é mandada embora", diziam os pais e os amigos.

No começo de maio de 2001, Guilherme foi demitido.

A demissão foi um choque, agravado justamente pelo discurso das semanas anteriores. Se ele havia sido mandado embora é porque não era bom o suficiente. Saiu correndo para casa e desabou no choro. A mãe tentava consolá-lo, dizia que ia aparecer coisa melhor e que ele tinha feito o possível. Mas, como sempre, Guilherme pensava no pai. Ia decepcioná-lo de novo. Tinha 24 anos e não conseguia emplacar um sucesso. Quando soube da demissão, Cláudio não deu uma palavra. Para Guilherme, era o sinal de quão decepcionado estava. Ele não fora um aluno brilhante. Tentara empreender, sem sucesso. Detestava o *back office*, não levava jeito para *trader* e, quando encontrara algo de que gostava, tinha sido demitido.

"Acabou a minha carreira", pensava.

Guilherme só queria fugir. Fugir da cara de decepção do pai, da condescendência da mãe, do padrão de vida dos amigos ricos. Queria fugir de si mesmo e do próprio fracasso. O Rio de Janeiro havia se tornado um ambiente tóxico. Mas fugir para onde?

Passou três dias trancado no quarto tentando encontrar sua rota de fuga, até que se lembrou de uma corretora que conhecera em Porto

Alegre, a Diferencial, uma das que ele havia contatado para se conectar à rede da Investshop e que queria aumentar o volume de investidores de varejo. A Investshop fizera demissões, porém ainda existia como estrutura, e Guilherme viu a oportunidade de tocar aquele projeto como uma célula dentro da Diferencial. Pegou o telefone e ligou para Carlos Corá, o dono da corretora.

— Segunda-feira estarei aí.

Largou o telefone e foi até a sala.

— Mãe, vou morar em Porto Alegre. Começo a trabalhar lá na segunda.

Ninguém entendeu nada.

Como a decisão foi tomada na sexta-feira, a família usou os poucos dias disponíveis para convencê-lo a mudar de ideia. A irmã de Cláudio foi enviada como emissária para dar os recados do pai. Já tinha passado da hora de ele entrar num curso de MBA, como os primos, fazer carreira numa multinacional. Não era preciso ser um gênio, afinal, para dar certo na vida. Mas aquela conversa só reforçava sua convicção de que o melhor era mesmo fugir. A mãe, apavorada com aquilo tudo, decidiu ir junto.

Na manhã de domingo, colocaram as malas na traseira da caminhonete usada que Guilherme tinha comprado dois meses antes. Emudecido pela vergonha que não passava, dirigiu as quase 20 horas falando com a mãe o mínimo necessário e parando somente para abastecer e comer. Queria chegar rápido. E deixar o fracasso para trás.

2
NASCE A XP

Trocar o mercado financeiro carioca por Porto Alegre era uma atitude sem qualquer base racional. Mesmo em estado avançado de decadência econômica, o Rio de Janeiro ainda era o maior celeiro de financistas endinheirados do país. Aos olhos de um carioca, o mercado financeiro gaúcho simplesmente não existia.

No entanto, para alguém psicologicamente destruído, como era o caso de Guilherme Benchimol, a mudança para Porto Alegre representava um alento. Claro, ficar longe da pressão social e do olhar do pai já era alívio suficiente. Mas havia também benefícios inesperados. Na nova cidade, Guilherme daria um salto de status. Ele era o sujeito que tinha trabalhado no Bozano e no Icatu, duas das instituições financeiras mais conceituadas do país. Mesmo colecionando fiascos, a verdade é que ele tinha mais experiência na primeira divisão da alta finança brasileira do que a maioria dos novos colegas. No Rio, Guilherme era mais um jovem perdido em busca de espaço. Em Porto Alegre, ele era alguém.

Foi uma injeção de autoconfiança. As pessoas viam Guilherme com perplexidade. "Como você veio parar aqui?" Ninguém sabia das derrotas em série que o haviam feito fugir do Rio. Como ele repetiria anos depois, os gaúchos o achavam melhor do que ele era na verdade. Era pouco, mas naquele momento foi o bastante para que ele começasse a recompor uma autoestima destruída.

Guilherme e a mãe alugaram uma quitinete de quarenta metros quadrados mobiliada de forma simplória em Três Figueiras, bairro de classe média de Porto Alegre. Após ajudar Guilherme a se instalar, a mãe voltou para o Rio. Ali, sozinho pela primeira vez na vida, ele teria de recomeçar do zero — para ele, aos 24 anos, parecia tudo mais definitivo e relevante do que de fato era.

A Diferencial era uma corretora de médio porte, com cerca de quarenta funcionários, mas com razoável reputação na região Sul. Concentrava sua atuação no mercado de ações. Todavia, como acontecia com muitas instituições do seu tamanho, encontrava problemas para fechar as contas. Os desafios das corretoras eram similares. Custos altos, dificuldade de se adaptar a novas tecnologias, gestão amadora. Era preciso encontrar outras formas de sobreviver. E era aí que o projeto de Guilherme entraria.

Em 2001, a Comissão de Valores Mobiliários (CVM), autarquia que regula o mercado financeiro brasileiro, instituiu as regras para atuação dos agentes autônomos de investimento. Na essência, esses profissionais funcionavam como corretores, mas sem vínculo empregatício com uma corretora. Conhecidos no início como "pastinhas", termo com um quê pejorativo, os agentes autônomos fariam o contato com os clientes, indicando investimentos que seriam, depois, executados numa corretora. Era, em tese, bom para todo mundo. A corretora cortava custos fixos, pois não precisava contratar aquele pessoal, e só pagava quando o dinheiro entrava. E o agente ganhava a vida sem precisar de uma estrutura física, investimentos em tecnologia ou capital. Era uma espécie de Uber das finanças — o risco, sempre, era que a Justiça Trabalhista considerasse que havia ali vínculo empregatício. Tratava-se de uma zona cinzenta e pouca gente se arriscou. Como não tinha nada a perder, Guilherme fez a primeira prova de certificação de agentes autônomos do país, pouco depois de a regulamentação entrar em vigor.

O projeto que havia apresentado a Carlos Corá, dono da Diferencial, era justamente criar um escritório de agente autônomo ligado à Investshop para, em seguida, ir fechando a corretora a fim de cortar custos. Parecia ambicioso, mas o começo foi bem mais tímido.

Ele receberia um salário e teria a missão de angariar novos agentes autônomos na região Sul para operar pelo site da Investshop. Corá, porém, não se entusiasmou com os primeiros resultados. A resistência dos investidores locais a usar a plataforma da Investshop era enorme, e o projeto teimava em não andar. Três meses depois, Corá eliminou o salário fixo de Guilherme. Ele não teria nenhuma remuneração garantida, somente uma comissão de 30% sobre o lucro dos negócios que levasse para a empresa. Se não gerasse resultado, não teria nem ajuda de custo.

Gato escaldado, Guilherme já estava com medo de ficar sem trabalho de novo. Não pregava os olhos à noite. Precisava ficar mais agressivo e fazer aquela ideia dar certo de qualquer jeito. Mas sozinho não ia dar. Olhando em volta, só via veteranos do mercado gaúcho, com seus clientes também veteranos, fazendo as coisas do mesmo jeito havia décadas. A exceção era outro jovem que, aos 25 anos, ganhava um salário mínimo e parecia não ter muito o que fazer na corretora, já que nem computador possuía — Marcelo Maisonnave.

Aquele era um começo difícil de carreira para alguém que vinha de uma linhagem de mercado financeiro. O avô de Marcelo, Vinicius Maisonnave, tinha sido dono de uma tradicional corretora no Sul, que levava o nome da família. Além da Maisonnave Corretora, presidiu por anos a Bolsa de Valores do Extremo Sul, sediada em Porto Alegre. O tio de Marcelo, Roberto, havia sido dono do banco Maisonnave, que chegou a ter quinze agências no Rio Grande do Sul até quebrar, em meados dos anos 1980. Fora o varejo, a instituição tinha um banco de investimento com atuação relevante no Sul do país, o que tornava a família próxima de grupos industriais da região. Para salvar o banco do efeito dominó da quebradeira de instituições financeiras, Roberto Maisonnave tentou costurar uma sociedade entre seu banco de investimento e a American Express, mas não teve tempo.

Além da paixão pelo Grêmio, Marcelo herdou da família o interesse pelo mercado financeiro. Forte em Porto Alegre, a Diferencial era um atalho para ambições maiores. Ele já tinha terminado a faculdade de economia na PUC-RS, morava com os pais e era um trainee que trabalhava de graça. Quando foi finalmente contratado, ganhava um salário mínimo. Estava ali para adquirir experiência. Marcelo tinha uma calculadora como única ferramenta de trabalho e era bom de conta. Mas a verdade é que não estava fazendo muita coisa.

Ele e Guilherme haviam se conhecido um ano antes, quando o carioca esteve na Diferencial ainda como funcionário integral da Investshop. Tinham personalidades completamente diferentes, comportamentos também. Guilherme usava palavrões em todas as frases, gesticulava ao falar; Marcelo era polido com as palavras e discreto nos gestos. Contudo, se deram bem desde o início. Guilherme viu ali uma oportunidade. Os dois jovens abandonados da Diferencial cresceriam juntos — um apoiado no outro.

— Marcelo, você não quer vir trabalhar comigo?

— Não sei, guri... Estou aqui há pouco tempo...

— Cara, você não ganha nada aí e não faz nada o dia inteiro, não tem nem computador, fica esperando a galera sair para o almoço para conseguir mexer em alguma coisa. A gente vai arrumar cliente junto.

Dada a completa falta de opções, Marcelo topou, e eles passaram a atuar como uma dupla de agentes autônomos dentro da própria corretora. Guilherme propôs que ele próprio ficasse com 60% das comissões e Marcelo com 40%.

— Eu não sou daqui, pago aluguel, você mora com seus pais, eu tenho que pagar passagem para ir ao Rio — disse Guilherme ao justificar sua proposta de repartição dos lucros.

Como a ideia inicial tinha sido mesmo dele, combinaram que seria assim.

Usando a rede de contatos de Marcelo, a dupla marcava almoços e cafés com qualquer sujeito com potencial mínimo para se transformar em cliente. Com o que conseguiam, nos primeiros meses sobravam 3 mil reais para dividir. Guilherme ficava com 1,8 mil e Marcelo com 1,2 mil. Era quase nada para a pretendida carreira no mercado financeiro, mas o suficiente, no caso de Guilherme, para pagar o aluguel e comer.

Para acelerar um pouco o crescimento e sair daquele miserê, a dupla pediu a Corá um estagiário que ajudasse no básico enquanto eles se esfolavam atrás de novos clientes. Era um período de altas emoções no mercado financeiro. Os ataques terroristas de 11 de setembro de 2001 nos Estados Unidos fizeram a bolsa brasileira cair 9% em pouco mais de uma hora. Um dia antes, Ana Clara Sucolotti havia começado seu estágio na Diferencial. Filha de médicos, ela estudava economia e sonhava ser operadora do pregão da Bolsa de São Paulo — o pai, além de médico, investia em ações. Para ela, o início foi excitante. Bolsas derretendo, suspensão de operações, operadores explicando a situação para os clientes. Ana queria participar daquilo de alguma forma, mas sua função era fazer o clipping de notícias para o chefe.

Quando Guilherme e Marcelo haviam pedido ajuda a Corá, ouviram:

— Tem uma menina nova aqui, podem levar. O salário dela vocês vão pagar, são trezentos reais.

Ana Clara, feliz de se livrar do clipping, juntou-se aos dois.

À medida que crescia, mesmo que lentamente, o grupo virava um núcleo de negócios "solto" dentro da Diferencial. Eles já não tinham salário, e o único vínculo que mantinham com a corretora era a salinha que ocupavam. Guilherme e Marcelo decidiram então dar o que chamaram de "grito de independência" — criar, formalmente, o seu próprio escritório de agentes autônomos. Marcelo, de perfil organizador e muito mais atento à forma do que Guilherme, queria definir um nome e ter logomarca e e-mail próprios, a fim de criar uma distinção para os clientes. Guilherme, desconectado das formalidades e com a cabeça centrada em captar clientes, não tinha paciência para esse tipo de conversa.

— Ah, coloca um nome XPTO aí, Marcelo, e vamos atrás de clientes.
— Vai ser XP então, de *expertise* — respondeu ele.

Em 2001, nascia a XP Investimentos.

Na prática, o grito de independência mudou muito pouco a rotina e o modelo de negócios da recém-batizada XP. Eles, afinal, continuariam tendo de pagar as comissões para Corá. Mas era uma mudança sobretudo simbólica, e símbolos têm a sua importância. Eles tinham uma empresa e uma estagiária. Para quem meses antes não tinha nada, era um salto triplo.

Ana Clara cadastrava os clientes e checava as informações das contas com a corretora. No início de 2002, outro estagiário juntou-se ao trio. Tiago Wallau ajudava a atender aos telefonemas de clientes, coordenar os cadastros e operar as contas.

A Investshop, empresa que havia demitido Guilherme um ano antes, continuava sendo sua principal parceira — a XP oferecia a seus clientes os fundos que a corretora carioca possuía em sua plataforma. Dois meses depois da fundação da XP, a Investshop foi comprada pelo Unibanco, o que naturalmente criou incertezas para a rede de parceiros da instituição espalhados pelo Brasil. Uma nova equipe da empresa estava rodando o país para conhecer essa rede, e uma funcionária do marketing da Investshop embarcou num voo em São Paulo para almoçar com Guilherme em Porto Alegre. Era o tipo de situação profissional que causava calafrios nos amigos de Guilherme, que sempre tivera fama de estabanado. Na quitinete, tinha ficado preso do lado de fora do apartamento de cuecas, depois de ir buscar um jornal. Era comum que aparecesse com um hematoma ou arranhões nos braços ou nas pernas, por ter caído ou dado uma topada em algum lugar sem perceber. Marcelo e Ana alertaram, num tom entre o brincalhão e o sério, para que ele não fizesse nenhuma besteira que pudesse atrapalhar os negócios.

Guilherme estava particularmente centrado em não cometer nenhum deslize no almoço, pois queria causar a melhor impressão possível. Mas partiu um pedaço de frango com tanta voracidade que o molho espirrou do outro lado da mesa, na blusa de seda branca da representante da Investshop. Ele se desculpou, ela limpou a blusa no banheiro e voltou para a mesa. Guilherme reconheceu um cliente e se levantou para cumprimentá-lo, só que a toalha da mesa se prendeu em sua calça. Sem perceber, puxou toalha, copos e pratos, dando um banho de refrigerante na visitante. O almoço beirava a tragédia e ele resolveu pedir a conta, desconcertado — até que descobriu que não aceitavam seu único cartão de crédito, e ela teve que pagar o almoço.

— Gente, fiz merda. Acho que amanhã a Investshop exclui a gente da parceria, proíbe a gente de negociar, sei lá. Não quero nem ver — disse ao voltar para o escritório.

Passaram o dia seguinte esperando a ligação, que nunca veio.

Eram tempos de absoluta incerteza para a XP. Eles ainda estavam longe de ter um tamanho que garantisse um fluxo constante de negócios a cada mês. Se a bolsa estivesse num mês bom, era provável que ganhassem algum dinheiro. Se o mês fosse ruim no mercado, certamente teriam prejuízo. Corá decidiu complicar um pouco mais as coisas quando passou a cobrar aluguel pelo uso da salinha em que a XP operava, o que aumentou os custos fixos. Para completar, Tiago Wallau recebeu uma proposta para estagiar no banco americano J.P. Morgan. O salário de setecentos reais passaria para 1,5 mil. O estagiário pediu as contas.

Guilherme e Marcelo sentiram uma ponta de inveja. Nenhum dos dois havia sido chamado por um banco daquela relevância, e ambos entendiam como era importante começar a carreira numa instituição daquele porte. O desânimo se abateu sobre os dois. A XP não ia a lugar algum, pelo visto. Ambos tinham de conviver com a sensação de que a empresa quebraria no dia seguinte.

— Lembra da gente lá, Tiago, se aparecer alguma outra vaga — disse Guilherme.

A saída do estagiário desencadeou uma revisão geral do que a vida tinha sido até ali. Será que estavam perdendo tempo investindo naquilo? Tinham algo diferente a oferecer? Era hora de parar tudo e tentar uma carreira mais próxima ao padrão? Ainda eram jovens.

— Porra, Marcelo, será que a gente manda uns currículos?

— Olha, eu nem sei o que você está fazendo aqui, sinceramente. Podia estar no Rio surfando, morando com o seu pai ou a sua mãe, lá tem muito mais empresa para procurar emprego.

— Cara, não dá. Eu preciso de pelo menos um ano aqui.

Guilherme vendeu sua Dakota por 14 mil reais, para garantir ao menos um ano extra de tentativas. Ele e Marcelo temiam que Ana Clara seguisse o mesmo caminho de Tiago e deixasse a dupla na mão. Ela estava prestes a se formar, e eles não tinham como lhe oferecer um salário de efetivada nem como assinar sua carteira de trabalho. A saída foi propor a Ana Clara uma participação na sociedade. Pagariam os setecentos reais que Tiago recebia e mais uma participação de 10% na XP.

— É a participação em um sonho — disse Guilherme, sabendo que estava oferecendo 10% de nada. — Mas é um sonho que vai valer muito.

Ela topou. A sociedade passou a ser composta por Guilherme, com 54%, Marcelo, com 36%, e Ana Clara, com seus 10%.

Afastado o risco de perder a administradora do *back office*, a XP seguiu sem rumo. Os sócios tentaram, sem sucesso, encontrar um modelo de negócio que conseguisse tornar o fluxo de receitas minimamente constante e previsível. O ano de 2002 corria e o cenário só piorava — a bolsa desabava e o dólar disparava com a possível eleição de Luiz Inácio Lula da Silva, o candidato que assustava o mercado com sua plataforma de esquerda. A taxa Selic caminhava para 25% ao ano e, com um juro desses, ficava difícil convencer alguém a se arriscar na bolsa — investimentos em títulos de dívida do governo federal, vistos como muito mais seguros, eram simplesmente imbatíveis. O volume médio de negociação diária na Bovespa minguava, tirando o ganha-pão de empresas como a XP. O quadro era de absoluta penúria.

Para evitar a iminente falência, foi preciso uma dose de criatividade. Um amigo de Marcelo tinha uma empresa de benefícios que emitia vale-refeição e vale-alimentação. Numa conversa informal, ele havia mencionado a existência de um mercado de compra e venda de vales. Funcionava assim: empresas pequenas compravam os vales de funcionários que preferiam ter o dinheiro na mão e aceitavam vendê-los com desconto. A própria emissora do amigo de Marcelo recomprava alguns desses papéis. Guilherme não teve dúvidas. Colocou o dinheiro que tinha no caixa da empresa numa pochete e foi para a porta da siderúrgica Gerdau, uma das maiores empresas gaúchas, no dia do pagamento. Muita gente aceitava vender o vale para pegar a grana, com desconto de 10%. Quando o dinheiro para comprar os vales acabava, ele ia até a empresa do amigo de Marcelo e os revendia com desconto de 2%. Os 8% de diferença ajudavam a XP a evitar o buraco.

Guilherme sentia o fracasso dobrando a esquina, mas dessa vez não ficou parado. Passava o dia todo na rua, buscando clientes, e em viagens a escritórios de cidades vizinhas. Mas ninguém queria saber de investir em ações, muito pelo medo do desconhecido — e, para convencê-los, talvez o jeito fosse explicar como aquilo tudo funcionava. O caminho era dar um cursinho básico sobre a bolsa, concluiu Guilherme, para que alguém entendesse o que ele estava, afinal, tentando vender.

Marcelo chamava os conhecidos do pai, da mãe e dos tios que pudessem ter interesse no assunto para discussões e aulas. Metade das cobaias comparecia "para ajudar" Marcelo, devido ao relacionamento com seus pais. Para atrair um público mais jovem, ele e Guilherme deram duas palestras na PUC e uma na Bolsa de Valores do Extremo Sul. A sala até ficou cheia, mas pouca gente que assistia chegava a abrir uma conta de investimentos na XP, onde eles de fato ganhariam dinheiro. Porém, dava para ver que as pessoas ficavam ansiosas para aprender mais.

Em meio àquele deus nos acuda, Ana Clara e Guilherme começaram a namorar. Ela sabia que as coisas não iam bem para a XP, então, para economizar, chamava Guilherme para jantar na casa dela, onde havia comida congelada feita pela mãe. O dinheiro do carro, que Guilherme calculara ser suficiente para um ano, estaria prestes a acabar seis meses depois. Ele já não ia ao Rio havia pelo menos cinco meses. Queria investir nos cursos, mas o dinheiro tinha acabado. Depois de vender o carro, Guilherme passou a andar de táxi. Como o caixa foi secando, começou a visitar clientes de ônibus. E, uma vez que a situação não melhorava, o jeito era percorrer o centro de Porto Alegre a pé à caça de clientes.

Num domingo à noite de setembro de 2002, depois de conferir seu saldo de quinhentos reais no banco, ligou para Julio Capua, o amigo e irmão postiço que não via há quase um ano.

— Fodeu, Julio. Acho que encontrei um caminho, mas a grana acabou. Eu só queria mais um tempo aqui, para tentar fazer esse negócio de curso dar certo.

— Mas de quanto você precisa?

— Cara, acho que com 5 mil reais eu consigo me virar por pelo menos mais três meses.

— Vou te emprestar essa grana e você vai me pagando parcelado. Amanhã deposito.

Até então, a XP vinha apostando em palestras que, na prática, "vendiam" seus produtos. Aos poucos, Guilherme e Marcelo se deram conta de que estavam falando grego. Investir em ações, no início do século XXI, era coisa para um público muito seleto. Em 2002, menos de 90 mil brasileiros investiam em ações diretamente. E o desempenho da bolsa estava longe de ajudar naquele ano. Eles precisavam ser mais básicos. Reservaram o salão de festas do prédio em que funcionava o escritório e colocaram um anúncio no jornal *Zero Hora*: "Aprenda a investir na Bolsa de Valores".

Naquela nova fase, os cursos deram um salto de organização. Eles compraram tinta e papel para a impressora do escritório a fim de fazer apostilas e decidiram cobrar trezentos reais pelo curso, que aconteceria sábado e domingo. Convocaram Antônio Marmo, um professor baiano que Guilherme conhecera em Curitiba e que, de tanto operar com a Investshop, tinha começado a dar cursos sobre ações por conta própria. Marmo ficaria hospedado na quitinete de Guilherme, que foi buscar o professor na rodoviária com o carro que Ana tinha ganhado dos pais. Não era necessário fazer inscrição prévia no curso, então a ansiedade tomava conta do grupo para saber se ia dar certo ou se aquele seria mais um fracasso na lista. Mas apareceram trinta interessados. Marmo, Guilherme e Marcelo se revezavam nas apresentações. Ana Clara ficava na recepção e preparava a mesa do coffee break.

— Ficamos ricos! — disse Marcelo ao sócio, contando o dinheiro e os cheques.

Tinham, de repente, 9 mil reais. Tirando os custos (com Marmo, com tinta e papel, com o salão de festas e com o anúncio), sobravam 6 mil reais de lucro. Em um fim de semana!

Na segunda-feira, Guilherme depositou os dezesseis cheques que recebera na conta de Julio e ligou para avisar que estava pagando a dívida:

— Cara, vamos fazer o próximo curso. Vamos fazer curso como uns tarados, sem parar!

A XP promoveu cursos todo fim de semana no salão de festas, ao longo de três meses. Quando o público cresceu, passaram a reservar uma sala de hotel. Começavam às oito da manhã de sábado e terminavam às cinco da tarde de domingo. De segunda a sexta, abriam as contas dos alunos interessados e administravam o dinheiro de clientes que já tinham. O modelo de negócios que nascia ali era o contrário do que imaginavam. O volume que os alunos investiam era pequeno, embora o objetivo inicial fosse esse. Mas, àquela altura, isso era o de menos. Os cursos estavam dando dinheiro. Meio que do jeito errado, algo finalmente dava certo.

NO COMANDO DO *back office* da XP, Ana Clara não estava satisfeita com a parceria com a Diferencial. Marcelo e Guilherme ficavam nas frentes de operação e captação de clientes e era ela quem passava a maior parte do tempo dentro do escritório. Os novos clientes queriam mais agilidade ao fazer seus cadastros para que pudessem investir. Mas a XP dependia da Diferencial para finalizar esses registros — e, na corretora, ninguém tinha pressa de ajudar os "moleques". Cada vez que cruzava o andar para fazer uma demanda, Ana sentia os olhares de desdém e ouvia resmungos e deboches. A Investshop não engrenava, e os culpados, para os colegas, eram eles.

— Eles não gostam da gente, não resolvem os nossos problemas. Temos que sair daqui, ter o nosso próprio escritório — dizia ela.

Guilherme gostava da ideia, mas Marcelo resistia, pois achava o movimento arriscado demais. Agora que as receitas cresciam, não era hora de aumentar custos fixos nem de romper com a corretora que executava as ordens de seus clientes, que pareciam satisfeitos. O atendimento podia piorar. Diante do impasse, eles decidiram esperar. A Diferencial estava mudando de endereço, e os sócios propuseram a Corá que separasse um espaço para uma sala de atendimento a clientes exclusiva para a XP. Seria uma área reservada para tirar dúvidas, discutir investimentos e fazer operações em bolsa. Mas Corá não topou — apesar de haver espaço sobrando. A Diferencial, por redução de custos, foi para um antigo galpão. A vizinhança era um ferro-velho e uma central de distribuição dos Correios. Atrair clientes até lá para vender investimentos seria fracasso na certa.

Para o trio da XP, aquilo foi a gota d'água, a comprovação definitiva de que não podiam confiar na Diferencial como parceira. Era hora de dar o grito de independência de verdade. Com o dinheiro que entrava dos cursos, Guilherme e Marcelo tinham economizado 15 mil reais. Torraram tudo encomendando um mesão de dez lugares a um marceneiro e comprando cortinas para o escritório, numa sala de 25 metros quadrados no centro de Porto Alegre. Guilherme estava se sentindo confiante com a nova fase e ligou para o pai.

— Pai, vou montar o meu negócio. Estou alugando uma sala com um sócio aqui de Porto Alegre.

— Guilherme, chega disso. Para de inventar moda, vem embora logo ter vida de adulto, levar as coisas a sério — respondeu Cláudio, que imaginava que, àquela altura, o filho já estaria de volta ao Rio de Janeiro.

Não era exatamente o que queria ouvir, mas Guilherme não se abalou. Estava com problemas demais para resolver. O passo seguinte teria de ser a compra de computadores para o escritório, e a XP não tinha dinheiro para isso. O prédio em que ele morava ficava numa área de repúblicas de estudantes, e, cruzando a rua, havia um posto de gasolina com uma galeria de lojas voltada para esse público, com bar, itens de cozinha, um supermercado de descontos e uma lan house, a Monkey. Guilherme decidiu fazer uma proposta para comprar dez computadores usados por seiscentos reais cada. O dono aceitou. Por anos, o fundo de tela dos computadores continuou sendo a imagem de um macaco com o nome da lan house. Um cliente vendeu sua máquina de café usada e pronto: tinham um escritório.

Com a sala montada, Guilherme recebeu uma visita-surpresa. Seu pai foi a Porto Alegre, pela primeira vez desde que se mudara, conhecer a XP.

— Tá bom, não sei o que você está fazendo, mas se é isso que você quer, faz direito. Não faz muita merda, por favor — disse Cláudio.

Antes de voltar ao Rio, comprou uma televisão de tela plana para o escritório da XP, seu jeito de demonstrar apoio à empreitada do filho.

Com o rompimento com a Diferencial, a XP passou a operar diretamente com a Investshop, que, agora nas mãos do Unibanco, possuía sua própria corretora. Marmo ia com frequência a Porto Alegre, e o grupo acabou criando uma grade de cursos de um dia, agora oferecidos nos dias de semana. A XP imprimia folhetos para divulgar seus cursos. Guilherme enchia uma sacola e passava horas na rua distribuindo aquela papelada. Nos intervalos de aulas da Universidade Federal do Rio Grande do Sul (UFRGS), puxava uma mesa da sala mais próxima e subia nela para entregar panfletos e falar dos cursos. Marcava no mapa as ruas com os prédios comerciais mais importantes, para colocar os folhetos nas caixas de correio.

Era um modo mambembe de atrair clientes, mas eles estavam muito longe de ter dinheiro para investir em propaganda. A saída, como de costume, era colocar a mão na massa e inventar um jeito. Os sócios buscaram parcerias com jornais e rádios. Guilherme bateu na porta da Rádio Guaíba e conseguiu que anunciassem o curso em troca de cinco vagas que a rádio sortearia para os ouvintes do programa *Guerrilheiros da Notícia*. Fizeram o mesmo, mais uma vez, no jornal *Zero Hora*, o mais importante do estado.

Guilherme e Marcelo definiram que era preciso acelerar o ritmo dos cursos para conseguir aumentar o fluxo de receitas, mas sabiam que isso seria impossível com a estrutura que tinham. A saída seria procurarem, eles mesmos, escritórios de agentes autônomos que aceitassem dar os cursos em outras cidades da região. A XP ganharia uma participação nas receitas. Dois escritórios foram abertos como afiliados da XP, em Caxias do Sul e Florianópolis.

Em quatro meses, a XP conseguiu alugar uma salinha anexa e crescer para quarenta metros quadrados. O novo espaço seria dividido entre a tão desejada sala de clientes e uma sala de reuniões. Parecia chegada a hora de levar mais gente para a empresa. Guilherme conhecia um gaúcho, Rossano Oltramari, que tocava a sala de ações de uma agência do banco Santander, e pensou em chamá-lo para o negócio.

Eles se conheciam dos tempos iniciais da Investshop. Rossano tinha se formado em administração e estava na metade do curso de economia em Florianópolis quando foi trabalhar em um escritório de representação da corretora Diferencial na cidade, também atendido pela Investshop. Quem atendia ao escritório, dava orientações, fazia visitas, era a dupla Guilherme e Marcelo, a partir da Diferencial de Porto Alegre. Expansivo, e no meio de um escritório de anciãos, como ele definia, Rossano logo simpatizou com a dupla. O gaúcho tinha levado para a empresa em que trabalhava uma série de clientes que, até então, eram atendidos pelo banco Banespa. Pouco depois, o espanhol Santander comprou o Banespa e começou a abrir salas de ações em algumas agências. Rossano acabou indo tocar uma delas em Porto Alegre.

As salas de ações, ou salas de clientes, eram espaços dentro das agências bancárias em que funcionava uma operação da corretora do banco — onde o investidor podia fazer seus investimentos pessoalmente, tirar dúvidas com operadores e conversar com assessores. Era uma forma de os bancos levarem a bolsa para mais perto dos clientes, que ainda preferiam ir a um lugar "físico" para ver tudo acontecendo e ter mais segurança em relação ao assunto, em vez de negociarem por telefone ou pela internet. Rossano conseguiu uma vaga na sala de ações do Santander em Porto Alegre e retomou o contato com os meninos da Diferencial. Saíam, vez ou outra, para um café ou um chope, falavam sobre corretagem, sobre ações, sobre clientes.

— Rossano, você não quer vir trabalhar com a gente? Você ajuda nos cursos e toca a mesa de ações — propôs Guilherme.

— Se tu me deres a sala inteira, eu topo — disse Rossano.

O escritório foi montado com uma sala de operações e uma sala de ações, separadas por duas portas de vidro e um pequeno corredor de um metro quadrado — ali foi instalada a máquina de café e se improvisou uma "sala de reuniões", onde recebiam os clientes de pé. A sala de ações funcionava como um complemento para os cursos. Rossano comandava grupos de estudo, estudos de caso, trazia professores e profissionais do mercado financeiro para se apresentarem aos clientes. Tinha deixado um salário mensal de 1,7 mil reais no banco e, com o ritmo acelerado de cursos, estava ganhando 1,5 mil reais por semana. Tornou-se o quarto sócio da XP.

Os sócios também notavam a mudança financeira no dia a dia. Marcelo era mais discreto sobre suas finanças e economizou a maior parte até se mudar da casa dos pais. Guilherme colocava suas economias e investimentos em uma planilha de Excel. No total, contabilizava 10 mil reais — bastante, se comparados ao nada que tinha até recentemente.

Mais alguns meses e a planilha apontava um patrimônio de 30 mil reais.

— Caraca, posso ter um carro de novo! Tenho 30 mil... — falava, deslumbrado.

A compra do veículo só aconteceria de fato três anos depois. Ana fazia questão de ter o próprio carro, e, como estavam sempre juntos, acabava pegando carona e poupando esse dinheiro.

Guilherme estava eufórico com a nova fase da XP. A empresa parecia ter encontrado um modelo de crescimento sustentável com a estratégia educacional. Os sócios compraram um CD que fornecia cadastros para envio de mala direta e, com aquela lista, disparavam mensagens de e-mails sobre os cursos para centenas de caixas postais, como spam. A empresa percebeu que o modelo eliminava a necessidade de ter uma rede prévia de contatos e um relacionamento com o grupo financeiro de uma ou outra cidade. A XP replicava o modelo de permuta ou anúncio em jornais e rádios locais, alugava um salão de hotel ou de clube, fazia um curso, abria uma filial. Agora que haviam encontrado uma fórmula, iriam repeti-la à exaustão.

3
A CONQUISTA DA OCEANIA

Na adolescência, Guilherme Benchimol foi um fã de War, o jogo de estratégia em que cada participante recebe uma ambiciosa missão de conquista de territórios num mapa-múndi. As partidas demoram horas e horas, muitas vezes terminando sem um vencedor. Guilherme utilizava sempre a mesma estratégia, qualquer que fosse a missão territorial que recebesse. Nas primeiras rodadas, enchia a isolada Oceania de exércitos. Só quando suas tropas já não cabiam no continente ele se sentia confortável para iniciar uma lenta expansão global. Quase nunca dava certo, é verdade — ao menos ele também não perdia a Oceania.

Com a XP, ele seguiu o mesmo caminho: a região Sul seria a sua Oceania. Todo dinheirinho que entrava, Guilherme e Marcelo guardavam. Um dia decidiram que havia chegado a hora de encher as principais cidades da região de exércitos de agentes autônomos que dariam cursos e atrairiam novos clientes.

O passo natural foi a expansão para cidades próximas a Porto Alegre. Passada a euforia inicial, porém, os limites daquele modelo foram ficando claros, e a dupla percebeu que seria preciso fazer ajustes para que o seu crescimento pela região acontecesse de maneira saudável. Pouquíssimos alunos abriam de fato uma conta, fosse na XP, fosse nos escritórios de agentes autônomos associados. Do jeito que a coisa ia, eles estavam se transformando numa empresa de educação, e não era essa a ideia. Os cursos eram importantes, mas eles estavam ali para conseguir clientes, não eram um fim em si mesmos. Era preciso encontrar uma forma de acelerar essa "conversão". Como fazer isso, ninguém sabia.

Uma das razões do sucesso dos cursos da XP era a sua simplicidade. Aquelas palestras criavam nos alunos a sensação de que conheciam melhor o funcionamento do mercado financeiro. Todavia não lhes davam a confiança necessária para, de fato, mergulhar na bolsa, operar e, assim, gerar receita para a XP. Além disso, os alunos faziam um curso só e logo deixavam de ser clientes. Se eles acreditassem que poderiam ganhar dinheiro de maneira constante com o conteúdo das aulas, tudo seria diferente. As primeiras dadas pela XP eram teóricas demais; as outras, simples demais. Faltava ensinar como ganhar dinheiro na prática.

Guilherme, Marcelo e Rossano quebraram a cabeça para encontrar um novo formato de curso. Até que Guilherme apareceu com uma "fórmula mágica" para ensinar os alunos a investir:

— Vamos ensinar o cara a usar média móvel para saber quando comprar ou vender uma ação.

A média móvel é calculada com base no histórico de preços de uma ação. É um dos diversos indicadores usados pelos analistas técnicos, que tentam prever o preço futuro de uma ação — ou a tendência — a partir da leitura dos gráficos formados por suas cotações recentes. Em tese, quem olha as médias móveis percebe se os preços estão fugindo muito do histórico. Se estão, devem voltar à média, caindo ou subindo.

É claro que essa é apenas uma entre milhares de teorias disponíveis para tentar explicar o funcionamento do mercado acionário. A eficácia da análise técnica como ferramenta para investimento é um tema em eterno debate. O crítico mais famoso é o bilionário Warren Buffett. Outro grande investidor, o americano Peter Lynch, resumiu o problema afirmando que "os gráficos são a melhor forma de prever o passado". Por sua vez, os defensores da análise técnica formam uma legião — alguns diriam religião. Eles buscam nos gráficos figuras como "ombro-cabeça-ombro", "pá de ventilador" e "triângulo simétrico" para decidir o que fazer. E, como tudo no mercado, às vezes dá certo, às vezes não.

Embora tivesse dado a ideia, Guilherme não sabia direito como transformar aquele conceito num curso. Análise gráfica é um tema árido, para não dizer esotérico. Pior: se os clientes perdessem dinheiro com as tais médias móveis, estariam fritos. Era preciso mastigar ao máximo o conceito. Um dos sinais tidos como mais claros de compra ou venda dados pelas médias móveis acontecia quando duas linhas (exponencial e aritmética) se cruzavam. Se a cotação estava perto do preço de suporte, ou seja, das mínimas a que o papel chegara, era hora de comprar. Se a ação estava perto de sua cotação máxima, era hora de vender. Guilherme passou duas semanas testando a calibragem, que indicava mais acertos do que erros nas análises do passado. Os sócios ficaram relativamente tranquilos. E o próprio Guilherme — aquele mesmo que meses antes estava comprando e vendendo vales em frente à Gerdau para sobreviver — passou a ensinar a ganhar dinheiro na bolsa.

Ele era o responsável pela parte final dos cursos, no domingo à tarde. Começava as aulas assim:

— Bom, galera, agora que vocês já sabem o que é uma ação, o que é preferencial, ordinária, quais são as bases para avaliar uma empresa, vamos ao que interessa: a prática.

As médias móveis foram um sucesso. Primeiro, viraram um capítulo da apostila do curso. Depois, Guilherme gravou um DVD em que explicava, em uma aula de três horas, como entender e aplicar o conceito para investir. A XP tinha pouco mais de trezentos clientes, e a taxa de conversão dos cursos aumentava. Nascia ali também um serviço para o cliente: o agente autônomo ligava para avisar que uma ação tinha dado ponto de compra ou de venda. "Quer operar hoje?", perguntava, em seguida. O cliente, que já tinha aprendido o método no curso, decidia se dava ou não a ordem a cada ligação do seu agente autônomo. No módulo sobre médias móveis, a aula sempre incluía alguma ação que tinha dado ponto de compra na sexta-feira anterior.

— Viram essa Usiminas aqui? Pois é, se vocês estivessem operando com a XP, um agente nosso ia ter ligado e falado "Olha, deu ponto de compra" — dizia Guilherme.

E, a julgar pelo efeito do curso de médias móveis, os alunos gostaram do que viram. Surgiram clientes que operavam na bolsa para valer. O crescimento criava problemas inusitados. Um cliente — fã das médias móveis — operava tanto com a XP que, em determinado momento, representava 30% do volume mensal negociado pela empresa. Era algo completamente atípico, e arriscadíssimo. Se aquele cliente quebrasse, levaria a XP com ele. Guilherme resolveu visitá-lo para um churrasco. Quando chegou à casa do cliente e percebeu que ele era praticamente cego, quase caiu para trás. Ele usava uma bengala-guia, pois tinha menos de 20% da visão. O fundador da XP ficou se perguntando como ele conseguia usar tantos gráficos para operar se mal conseguia enxergá-los. Naquela época, os aparelhos auditivos para auxílio a clientes e operadores com deficiência visual ainda eram caros e pouco usados. Foi logo depois disso que outro cliente se embananou com operações complexas de opções de ações, mas a empresa já estava com o alerta ligado.

Guilherme teve de ir até a casa dele e, educadamente, tomar seu carro para cobrir o que ele devia à XP.

Apesar dos sustos, a XP tinha encontrado seu modelo — e o momento não poderia ser mais apropriado. Não havia média móvel que mostrasse isso, mas, no início de 2003, começava um longo período de valorização de ações na bolsa brasileira. E a XP, depois de seus tropeços iniciais, estava finalmente pronta para aproveitar.

O PÂNICO PRÉ-ELEITORAL — que levou o dólar a quatro reais e a bolsa para o chão — foi embora com a mesma rapidez com que surgiu. Eleito no fim de 2002, Lula escalou o banqueiro Henrique Meirelles para assumir o Banco Central, algo antes inimaginável. Sob o comando de Antonio Palocci, o Ministério da Fazenda fez tudo ao contrário do que rezava a cartilha petista. Manter o orçamento sob controle continuava sendo prioridade. Reformas microeconômicas importantes destravaram a economia, facilitando a expansão do crédito. Para ajudar um pouco mais, começava ali um período de valorização mundial das commodities, causado pelo crescimento econômico de uma nova potência em ascensão, a China. Minério de ferro, soja, petróleo — a China consumia tudo aquilo com voracidade, favorecendo as exportações brasileiras. Diante disso, o real valorizou-se e a inflação amansou.

O investidor estrangeiro, que representava 25% do volume negociado na bolsa brasileira, voltava.

No início da década, a Comissão de Valores Mobiliários e a Bovespa — a Bolsa de Valores de São Paulo, que se transformaria depois na B3 — haviam iniciado uma série de mudanças na regulação do mercado, tentando torná-lo um ambiente menos insalubre para os pequenos investidores. Nascia, no final de 2000, o Novo Mercado, onde eram negociadas as ações de empresas tidas como modelares (as que, por exemplo, só tinham ações ordinárias, com direito a voto, e davam garantias aos sócios minoritários em caso de venda do controle). Mas essas mudanças, feitas para estimular a entrada de mais gente na bolsa, coincidiram com uma fase amarga para o mercado, com o estouro da bolha da internet e crises na Argentina e no Brasil. Agora, no início da era Lula, a história era diferente. Tudo conspirava para que a Bovespa vivesse um período dourado.

Em 2003, o Ibovespa, índice que reúne as principais empresas da bolsa, subiu nada menos que 97%. A alta preparou o terreno para a revolução que viria a partir de 2004 — uma sequência de aberturas de capital que mudaria a cara da bolsa e do mercado brasileiro, historicamente concentrado em um punhado de estatais, bancos, siderúrgicas. A empresa de cosméticos Natura fez seu IPO em maio, numa oferta de ações que simbolizou o início dessa nova era. Quase 15% das ações foram vendidas a pequenos investidores, algo que há muito não se via. Até o fim do ano, outras treze empresas venderiam papéis na bolsa, entre estreantes e companhias já listadas. O número de investidores individuais, ainda que baixo, dobrara em dois anos. Em 2004, a bolsa subiria outros 17%.

Guilherme e Marcelo aproveitaram aquela boa fase para acelerar. Já estavam nas principais cidades do Paraná e de Santa Catarina. Àquela altura, contavam com o maior time de agentes autônomos da região Sul. E, como haviam passado um ano treinando seus clientes acerca dos meandros do mercado acionário, tinham uma clientela disposta a surfar a onda da bolsa quando ela começou. Mesmo em anos difíceis como 2001 e 2002, os sócios da XP mantinham, em seus cursos, uma fé no poder do investimento em ações. Quando a bolsa subiu daquele jeito, os novos clientes passaram a vê-los como profetas.

No mercado financeiro, *timing* é tudo — e a XP, sem querer, acertara o *timing* na mosca.

Com o ritmo da operação se acelerando, e investidores querendo entrar na onda da bolsa em alta, aumentando a quantidade de negociações, a mesa de ações da XP ganhava volume. À medida que chegavam novos clientes, era preciso buscar operadores mais jovens para aprender. Numa operação com ações, o cliente pagava uma comissão para a Investshop e 80% da quantia voltava para a XP. Um terço das taxas recebidas pela XP era repassado para os operadores. A XP, que tinha 48 clientes em 2001 e um faturamento de 65 mil reais, abria mais de duzentas contas por mês e chegava a quase 3 mil clientes no fim de 2004, com receita próxima de 3 milhões de reais. Fernando Wallau, irmão do estagiário que tinha ido para o J.P. Morgan, foi contratado para dar cursos, e ele e Rossano se tornaram sócios da XP, com 8% de participação cada um. A sociedade custou a cada um deles 18 mil reais, pagos em dezoito parcelas, com a diluição dos demais sócios. Ia se consolidando, assim, uma *partnership*, como a que havia no Garantia, em que os mais jovens compravam ações e pagavam com o bônus que recebiam. Só que as contas eram todas feitas de orelhada. Ninguém, a rigor, acreditava que aquele negócio valia de fato alguma coisa.

Num mercado financeiro minúsculo e parado como o de Porto Alegre, qualquer novidade chamava atenção. E, naquela fase da bolsa, a XP virou uma espécie de sensação local. Estudantes de economia, administração e engenharia na PUC gaúcha pensavam na XP como a melhor alternativa para começar uma carreira no mercado financeiro. Ao mesmo tempo, a empresa já roubava clientes de corretoras tradicionais, aqueles com um pouco mais de patrimônio para operar. Um deles foi o gaúcho Eduardo Glitz, que acompanhava a avó numa visita à XP. Rossano os conheceu na "sala" do café — aquele corredor entre as duas portas de vidro onde ficava a máquina de expresso para ser bebido de pé. A avó de Glitz era investidora e tinha dado ações aos dois netos — para um deles, ações da cervejaria Brahma; para o outro, ações da empresa aérea Varig. Glitz foi o azarado que ficou com as da Varig (anos depois, a Varig faliu; a Brahma virou Ambev, uma das melhores ações da Bovespa por anos e anos), mas foi o presente que o levou a se interessar pelo mercado financeiro. Alguns meses depois, Rossano e Glitz se encontraram em um curso de pós-graduação na Universidade Federal do Rio Grande do Sul, e foi feito o convite para ele entrar para o time da XP, ajudando na mesa de operações.

A boa fase estimulou em Guilherme o desejo de diversificar fontes de receita. A verdade é que aquele *boom* do mercado acionário podia acabar, e eles, assim como dois anos antes, precisavam ter outras formas de ganhar dinheiro. Apesar da alta taxa de conversão de alunos em clientes, que já beirava os 50%, sempre havia um grupo que se interessava em investir em ações, mas não queria ficar administrando o risco e fazendo as escolhas. Era preciso oferecer algo para eles também.

Uma ideia era a criação de uma carteira própria de fundos. Assim, a XP ganharia um fluxo de receitas mais ou menos estável (a taxa de administração dos fundos) e outro variável (a taxa de performance dos fundos, que costuma ser de 20% daquilo que exceder o desempenho de um índice de referência, como o Ibovespa), além do dinheiro que já estava ganhando com cursos e corretagem. Apesar de todo aquele crescimento, boa parte da receita da empresa ficava com a Investshop e com os agentes autônomos. Lucro, mesmo, só 30 mil reais em 2004. Era quase nada.

A XP tinha compreendido que o pequeno investidor, ainda na fase de entendimento do que era a bolsa, ficava mais confortável em ter alguém selecionando as ações para ele do que ter que fazer sozinho esse trabalho. Um exemplo disso era o sucesso do fundo de investimento PIBB (Papéis Índice Brasil Bovespa), criado pelo banco de fomento BNDES, em julho daquele ano. O fundo reunia as cinquenta ações mais negociadas na Bovespa e que pertenciam ao BNDESPar, a subsidiária do BNDES que compra participações em empresas. Metade da oferta de 600 milhões de reais ficou com o segmento de varejo, quase 25 mil investidores. A XP conseguiu atrair um bom grupo. Guilherme ligava para os amigos incentivando-os a aplicar. Convenceu Julio Capua, por exemplo, que por sua vez estimulou seu estagiário Gabriel Leal a investir também.

No fim de 2004, Capua resolveu ir a Porto Alegre visitar Guilherme e conhecer a empresa de que ele tanto falava. Estava desanimado com o emprego de escritório: trabalhava na Ceras Johnson, já tinha passado por três departamentos e ralava na área financeira. Ali, percebeu que levaria muitos anos para chegar a posições de destaque na multinacional. As filiais brasileiras de empresas internacionais tinham pouca autonomia para tocar projetos e dar promoções aos funcionários. Ele queria algo um pouco mais empolgante do que a vida de escritório e foi contaminado pela vibração dos agentes autônomos do Sul. Aquilo lá era muito mais parecido com as histórias que o pai contava do Garantia do que a rotina monótona de uma multinacional. Decidiu pedir as contas na Ceras Johnson e partir para outra.

Após conversar com o pai, Julio optou por fazer um MBA nos Estados Unidos. Mas Guilherme, sentindo que o amigo estava balançado, fez uma proposta: Capua montaria a tal gestora de recursos (ou *asset*, no jargão do mundo das finanças) dentro da XP, para que eles tivessem fundos próprios para oferecer aos clientes. Guilherme e Marcelo propuseram ainda criar uma nova empresa, que seria controlada pela XP e da qual Julio seria sócio.

— Cara, só me mudo pra Porto Alegre se for pra ser sócio da empresa toda. Não vou gastar meu dinheiro num negócio que ainda nem foi criado, enquanto você tem uma empresa andando — retrucou Capua.

Maisonnave, que nem sequer conhecia o futuro sócio, não aprovou a ideia.

— Guilherme, a gente combinou de chamar o cara pra tocar um outro negócio e ser sócio dessa área nova. Não faz sentido, a gente aqui se matando pra fazer a empresa funcionar e ele já chegar como sócio.

— Mas é uma grana, cara! A gente estava sempre na merda, agora tem um lucro, é um cara a mais pra dividir o risco, montar outra frente.

— Não sei, guri, não faz muito sentido...

— Se você não se incomodar, eu vendo as ações pra ele, você não precisa vender.

O valor do MBA de Julio, em dólares, correspondia a 225 mil reais. Guilherme e Marcelo — de novo na base da orelhada — decidiram que aquilo seria suficiente para comprar 15% da XP, o que fez de Julio o terceiro maior sócio. A transação avaliava a XP em 1,5 milhão de reais (um salto considerável tendo em vista a precificação feita para Rossano e Wallau meses antes). Com a venda de suas ações, Guilherme ficou com uma participação igual à de Maisonnave. Julio pagou à vista. Guilherme, quebrado três anos antes, já tinha mais de 200 mil reais na conta.

— Ana, estou quase me aposentando. Vou chegar a 1 milhão de reais... — disse Guilherme.

— E aí você vai fazer o quê, Gui?

— Me aposentar, e a gente vai morar em Floripa.

Ana e Guilherme se casaram seis meses depois.

A ADAPTAÇÃO DE Julio Capua foi penosa. Ao contrário de Guilherme, ele não estava fugindo de nada. Tinha uma vida confortável no Rio e salário fixo. Estava simplesmente de saco cheio do emprego. Chegando a Porto Alegre, foi mais fácil perceber o que ele estava perdendo (a praia, os amigos) do que vislumbrar o que poderia ganhar. Não conhecia nem a embrionária cultura da XP nem seus sócios. Havia calculado que, para ficar bem em Porto Alegre, alugando um flat com serviços diários de limpeza, e manter suas idas ao Rio todos os fins de semana, precisaria de um salário de 6 mil reais. Mas logo se deu conta de que, como sócio, não teria salário fixo — receberia um salário mínimo mensal e a parte dos lucros e comissões da área que ia tocar. A *asset* nasceu com um aporte de 3 mil reais, sendo dois terços de Guilherme e Marcelo e os mil restantes de Cláudio Benchimol. Por muito tempo, as comissões não dariam para nada.

Apesar de ter passado a infância entre cafés e jantares com o pai e Jorge Paulo Lemann, o mercado financeiro era abstrato demais para a experiência e o dia a dia de Julio. Ele precisava montar a XP Gestão, a tal *asset* do grupo, no entanto não sabia nada sobre gestão de recursos. Esse, aliás, seria um traço característico da cultura da empresa desde os primórdios. Conforme acontecia em bancos como o Garantia e o Pactual, ninguém precisava ser especialista para tocar uma área. O mais importante era ter a cultura de trabalho e a vontade de aprender. Valia a regra da lagartixa, um dos pilares da gestão de recursos humanos do Pactual de Luiz Cezar Fernandes — "joga o cara na parede. Se ele grudar, deu certo".

Mas Julio sempre foi um sujeito de sorte. Além da meritocracia da mesada, o pai não dava a ele videogames de presente de Natal ou aniversário — e sim cotas de um fundo da gestora Dynamo. Fundada em 1993 no Rio de Janeiro por ex-sócios do Garantia, a Dynamo foi se tornando, nas décadas seguintes, dona dos fundos de ações mais bem-sucedidos do país. O pai tinha investimentos relevantes nos fundos, então Julio era bem recebido por lá. Guilherme sentiu ali o cheiro da oportunidade e não teve dúvidas a respeito do que o neófito deveria fazer.

— Julio, você tem que descobrir as posições da Dynamo. Vai lá, descobre o que eles têm e a gente copia. Os caras são fera, é sem erro — disse Guilherme.

— Não, Guilherme, eu preciso montar uma mesa de análise. Tenho que contratar analistas.

— Não viaja, fazer análise é caro, a gente quebra se contratar analista. Vai na Dynamo, você é cotista, seu pai é um supercliente, vamos por esse caminho. Depois você monta sua equipe, quando tiver algum volume.

Assim nasceu a XP Gestão de Recursos. Mês sim, mês não, Julio ia até o escritório da Dynamo, no Rio, com o argumento de que precisava acompanhar suas aplicações. Ele não tinha se desfeito completamente do apartamento alugado no Leblon quando se mudou para o Sul — repassara o imóvel para um amigo da época dos jogos de tênis no Jockey Club, o advogado Bernardo Amaral, e ficava lá quando ia à cidade. Julio tinha boa interlocução com Pedro Damasceno, um dos sócios principais da Dynamo. Sentava com ele na empresa por meia hora para falar de seus investimentos e passava outra meia hora jogando conversa fora, enquanto copiava discretamente em um papelzinho os códigos de ação que apareciam na tela de negociações.

O alvo da cobiça de Julio era o fundo original da gestora, o Dynamo Cougar, que acumulava uma rentabilidade de 237.201,17% desde o início até o fim de 2004 — um brutal retorno anualizado de 98,45%. Se a XP Gestão chegasse minimamente perto disso, estava feita. Mensalmente, a Dynamo fazia uma carta aos cotistas, explicando em linhas gerais sua estratégia e os resultados obtidos. Verdadeiras aulas de negócios, as cartas da Dynamo estavam entre os documentos mais lidos no mercado financeiro brasileiro.

Julio reescrevia o texto com suas próprias palavras e disparava a carta para os vinte cotistas do clube de investimento que seria o embrião da XP Gestão. Um dia, após um ano nesse esquema, ele saiu de uma visita no Rio e ligou desesperado para Guilherme:

— Estamos ferrados, cara! Estamos ferrados! — disse, esbaforido, sem conseguir se explicar, enquanto o amigo gritava do outro lado da linha para ele se acalmar. — Tiraram a tela! Os caras tiraram a tela aqui da Dynamo!

Nunca houve uma conversa franca sobre o assunto, mas a verdade é que os sócios da Dynamo haviam percebido as movimentações dos olhos de Julio. Muitas gestoras nasciam tentando copiar carteiras de fundos de sucesso, então aquilo não era uma grande coisa para a Dynamo — seus sócios sabiam que, em algum momento, a estratégia fracassaria e os imitadores desistiriam. Nos meses seguintes, a XP Gestão continuou tentando seguir a carteira da Dynamo, copiando as posições acionárias que a gestora divulgava à CVM. Só havia um problema: as gestoras podem abrir suas carteiras com prazos de três meses, então, muitas vezes, quando revelam no que investiram, essa posição nem existe mais.

Aos poucos a inutilidade daquela estratégia foi se evidenciando. Em 2005, as ações do Grupo Pão de Açúcar derreteram quando a varejista anunciou queda no lucro, fechamento de lojas e, pouco depois, troca na presidência. A empresa, então controlada por Abilio Diniz, começava um duro processo de profissionalização, dividindo a holding e a administração com sócios franceses. A Dynamo tinha feito uma aposta nas ações do Pão de Açúcar, e, com aqueles maus resultados, a XP sofria junto. Quando os cotistas perguntavam o que estava acontecendo, a turma da XP não sabia explicar a situação nem o porquê de sua convicção no Pão de Açúcar no longo prazo.

Após esse início claudicante, a gestora demorou uma eternidade para decolar. Por ao menos cinco anos, pagou basicamente os custos de operação, o que gerava muitas críticas dos demais sócios — Julio, afinal, tinha 15% da XP, e passaria muito tempo vivendo à custa do lucro obtido pelos outros. É a típica receita para crises em *partnerships* como aquela em que a XP estava se transformando. Em choque com Guilherme e Marcelo em função dos maus resultados, Julio esteve prestes a deixar a empresa. Mas, se não dava dinheiro, a gestora pelo menos gerava volume para a XP, e ter aquele braço era necessário.

A verdade é que os problemas da XP Gestão pouco importavam naquele momento. O núcleo do modelo da XP — os cursos, a operação de bolsa e o crescente exército de agentes autônomos — se provava um sucesso. Em 2005, o Brasil entrava no terceiro ano seguido de valorização na bolsa, e a onda de aberturas de capital se aproximava do auge. Embalada, a XP já tinha vinte filiais na região Sul e seus cursos eram ministrados em cerca de trezentas cidades. A Oceania estava ocupada — era hora de sonhar com a conquista do mundo.

4

"ESSE TROÇO VALE DINHEIRO PRA CARAMBA!"

Guilherme Benchimol estava incomodado. Após uma década de vida profissional cheia de baixos e baixos, finalmente tinha dinheiro suficiente para manter uma vida de classe média — apertada — em Porto Alegre. No início de 2005, a XP distribuía aos sócios, no total, cerca de 30 mil reais por mês, uma fortuna impensável dois anos antes. Mas aquele cheiro de sucesso aumentava em Guilherme sua já naturalmente elevada ansiedade. O Brasil vivia um *bull market* — expressão consagrada para designar um mercado acionário em ascensão — como há muito não se via. A XP precisava aproveitar aquela onda antes que acabasse: do jeito que estava, o teto da empresa era baixo demais.

No mercado financeiro, aparências importam, e muito. As empresas lidam com clientes endinheirados, que gostam de ser recepcionados num ambiente que passe certa imponência. Afinal, ninguém quer ter seu patrimônio administrado por um pé-rapado. Ali, naquelas salinhas minúsculas em que estava instalada, a XP criava justamente essa percepção. Era tudo apertado, os computadores eram os da lan house, a tal sala do café não era sala. A empresa tinha evoluído, mas a sede ainda transmitia a sensação de que aquilo tudo não passava de uma aventura mambembe.

Guilherme decidiu dar um basta naquele aparente amadorismo. Ele gostava de um prédio corporativo na avenida Carlos Gomes, tido como o mais nobre de Porto Alegre, que frequentara na época em que panfletava os cursos de educação financeira da XP. Havia ali um espaço de quinhentos metros quadrados disponível por um aluguel de 22 mil reais — era suficiente para abrigar cem pessoas com certo conforto e, assim, tirar a XP daquela vida improvisada nas salinhas. Guilherme se interessou.

Mas havia duas questões importantes. Primeiro, a XP só tinha trinta funcionários, então não parecia haver sentido se mudar para um lugar tão grande. Segundo, o custo de aluguel da empresa passaria de 8 mil reais para 22 mil, consumindo quase todo o pequeno lucro mensal obtido a imenso custo.

— Guilherme, isso é muito arriscado — disse Julio, apavorado com o aumento nas despesas fixas mensais.

— Vamos mudar porque tem que ser assim. Eu sei que é um risco, cara, mas temos que assumir. Em dois anos a gente vai encher isso aqui.

A XP estaria, a partir da mudança, um pouco mais preparada para aproveitar os anos de *bull market*. Pé-direito alto, sala de treinamento de operadores, sala de cursos, sala de reunião, sala de tudo — agora, sim, tinham um escritório que dava orgulho, mesmo que ainda meio vazio. O preto com madeira escura do primeiro escritório foi substituído por tons claros de cinza. Marcelo, também cioso da importância das aparências, defendeu que os sócios comprassem novas cadeiras — como a turma achou aquele investimento exorbitante, ele acabou pagando as cadeiras do próprio bolso para garantir alguma elegância à firma. Ele queria colocar obras de arte no hall de entrada, mas a ideia não foi para a frente.

Até hoje, os sócios da XP consideram a mudança para a Carlos Gomes uma das decisões mais arriscadas da história da empresa. Se o crescimento não viesse, seria um fracasso completo, uma ameaça à sobrevivência do negócio. Mais uma vez, porém, o acaso estava jogando do lado deles. Um vizinho no prédio conheceu a empresa e quis apresentá-la ao irmão, que morava no Rio. O irmão não era um sujeito qualquer, mas o banqueiro Eduardo Plass, que havia acabado de comprar uma participação na corretora Ágora, uma das maiores do país. Plass pediu para conhecê-los de perto. E a conversa que eles começariam ali mudaria a XP para sempre.

Aos 45 anos, o engenheiro gaúcho Eduardo Plass era um dos financistas mais bem-sucedidos do Rio de Janeiro, e sua turbulenta carreira era objeto de fascinação e polêmica no mercado. Sua trajetória no mundo das finanças começara em 1987, quando trabalhava na construtora Camargo Corrêa e conheceu Luiz Cezar Fernandes, o fundador do Pactual. Engataram uma conversa e Fernandes o convidou para trabalhar no *back office* do banco. Com seu estilo sisudo, trabalhador e sofisticado, Plass transformou a área de apoio do Pactual, antes uma bagunça, em algo que funcionava. Sua ascensão foi sempre patrocinada por Fernandes, que tinha no engenheiro seu principal protegido. Em 1994, quando Guilherme assistiu à palestra de Fernandes na PUC que o fez decidir pelo curso de economia, Plass já era um dos principais sócios do Pactual, e o banco estava prestes a passar por um período de crise.

Fernandes fez uma atrapalhada série de investimentos em empresas de setores tão variados quanto a indústria têxtil e a produção de suco de laranja. Foi perdendo dinheiro em todos, até que os sócios do Pactual — entre eles, Plass e André Esteves — resolveram chutá-lo para fora do banco. A saída de Fernandes do banco fundado por ele é um dos episódios mais marcantes da história do mercado financeiro carioca. Como num romance de William Faulkner, as versões para o que aconteceu no Pactual são diversas e contraditórias, dependendo do ponto de vista de cada personagem. Mas um dos poucos pontos de consenso é que Plass se voltou contra o padrinho e desferiu o golpe mortal que resultaria em sua saída. Então assumiu a presidência do Pactual para, em seguida, ser ele mesmo expelido pela turma que de fato ganhava dinheiro ali dentro, liderada por Esteves e Gilberto Sayão.

Após ser defenestrado, Plass usou parte da fortuna amealhada nos tempos de Pactual para comprar uma participação minoritária na corretora carioca Ágora. Fundada por Selmo Nissenbaum em 1993, a Ágora tinha feito uma pequena revolução no mercado ao adotar a taxa fixa de corretagem. No modelo reinante até então, as corretoras cobravam conforme o tamanho da ordem de compra ou venda de ações. Para ganhar espaço, a Ágora mudou esse modelo e colocou o mercado de pernas para o ar. A taxa fixa foi um enorme sucesso de público e transformou a Ágora na maior corretora da Bovespa. Era também uma das pioneiras em *home broker*, o sistema automatizado que permitia aos investidores comprar e vender ações sem precisar ligar para ninguém. Por outro lado, o sucesso de público não se traduziu em lucros. Com problemas financeiros, Nissenbaum aceitou a injeção de dinheiro que fez de Plass seu sócio.

Os choques entre os dois não tardaram, com Plass exigindo cortes de custos. Ele tinha uma opção de compra de ações de Nissenbaum e estava se preparando para exercê-la, assumindo assim o controle da Ágora. Pretendia colocar em prática um plano que, se desse certo, levaria à venda da corretora para um grande banco como Bradesco ou Itaú. Mas, antes disso, queria "enfeitar a noiva", levando gente nova e motivada para a empresa. Foi quando seu irmão sugeriu que ele conhecesse uns doidos que estavam dando aula de bolsa no Sul do país e tinham acabado de se mudar para um escritório três vezes maior que o necessário.

Marcaram um encontro em Porto Alegre, e Plass abriu o jogo para Guilherme e Marcelo:

— Olha, comprei a Ágora, mas não sou um cara de corretora, um cara de varejo. Tenho ouvido coisas boas sobre vocês, queria tentar evoluir num projeto conjunto.

Guilherme olhava boquiaberto. "O cara dos jornais está aqui, querendo fazer negócio com a gente", pensava ele. Plass era figura constante nos cadernos de economia e negócios, ex-presidente do Pactual, um ícone do mercado financeiro. Mas a sequência de histórias sobre a saída de Fernandes, aliada aos rumores de desentendimentos entre Plass e Nissenbaum, deixou os dois fundadores da XP ressabiados. Guilherme esperou um segundo encontro, em um jantar em Porto Alegre, para tocar no assunto com Plass.

— Cara, eu estou meio preocupado. É que ouvi umas histórias... não me leve a mal, mas isso aqui é a minha vida. Se eu vou fazer algum negócio com a empresa, preciso ter certeza.

— Guilherme, vou te contar a história toda.

Foram horas de conversa, e Guilherme chegou ao escritório da XP no dia seguinte tranquilizando os sócios sobre a fama do pretendente. Na versão resumida de Plass, ele apenas tinha aproveitado oportunidades de negócios diante de sócios inábeis ou incapazes, sempre colocando a saúde da empresa em primeiro lugar. Na Ágora, estava tudo "tão bem" que ele já negociava com o fundador uma compra adicional de participação. Pragmático, o jovem carioca começou a ponderar como a lista de relacionamentos de Plass, sua experiência e o acesso a capital poderiam beneficiar a XP, num atalho rumo ao centro do mercado financeiro brasileiro.

O formato de negócio foi sendo revelado aos poucos. Plass queria comprar a XP e juntá-la à área de varejo da Ágora, que passaria a ser tocada pela turma da XP. Os sócios teriam 12% da nova Ágora e uma opção de venda dessa participação (ou *put*, no léxico financeiro) de 30 milhões de reais.

— Trinta milhões? Caraca, Guilherme! — repetia Julio, cujo sonho mais ambicioso àquela altura era se mudar para Florianópolis. — Outro dia você estava quebrado!

Em 2006, a XP já projetava um Ebitda (lucro antes de juros, impostos, depreciação e amortização, medida usada como referência para a geração de caixa de uma companhia) de cerca de 3 milhões de reais para o ano, e Plass fez conta semelhante à que tinha feito quando comprou 23% da Ágora — ambas valiam o equivalente a dez vezes seu Ebitda.

Ouvir aquele número foi um choque que mudaria a cabeça de Guilherme para sempre. Até ali, ele tocava a empresa como se fosse um executivo. Queria fazer a XP crescer, ganhar dinheiro, ter uma vida legal. Mas até que Plass surgisse na sua vida, jamais tinha pensado que a XP poderia valer dinheiro, muito menos uma cifra como aquela. Afinal, eles nem sequer tinham uma corretora, não passavam de uma rede de agentes autônomos que davam aula. "Esse cara não é bobo", pensava. "Esse troço vale dinheiro pra caramba, e quanto mais a gente crescer mais vai valer."

Os principais sócios varavam a madrugada discutindo os prós e contras de uma transação com Plass. Cada conversa gerava uma nova dúvida, que resultava numa ligação para Plass. Na prática, como seria ter uma opção de venda das ações? Que poder eles teriam? Como funcionava uma *partnership* como o Pactual? Guilherme aproveitava aquela discussão toda para fazer uma imersão no funcionamento do mercado financeiro carioca. Plass podia ser misterioso, mas a verdade é que jogava na primeira divisão do mercado havia pelo menos duas décadas e sabia infinitamente mais que Guilherme e seus sócios. Aquela era uma negociação de venda que, em paralelo, funcionava como um MBA de graça para Guilherme.

A diferença abissal de preparo e experiência entre eles complicou um pouco mais as coisas. Os sócios da XP se sentiam gatinhos negociando com um leão, o que gerava certa desconfiança de que seriam passados para trás. A cada ligação deles na tentativa de conseguir impor alguma cláusula, a corda era puxada para o lado mais forte. A participação da turma da XP na nova Ágora ia encolhendo sob as mais diversas justificativas, e o valor da tal *put* teimava em diminuir com o passar das semanas, assim como o poder que eles teriam na Ágora se fechassem negócio.

"Estou com medo, Marcelo, o cara é um avião, vai engolir a gente", dizia Guilherme.

São os detalhes que matam as fusões, e na discussão sobre a fusão da Ágora e da XP não foi diferente. À medida que os sócios da XP foram entendendo como seria a vida pós-venda, caía a ficha de que se tornariam empregados de Plass, perdendo a autonomia e, com isso, a motivação. Além disso, mais para o fim das conversas, Plass disse que sua ideia era acabar com a rede de agentes autônomos da XP. O plano, disse, era vender a Ágora para um banco, e os bancos jamais assumiriam o risco trabalhista criado pela dependência dos agentes autônomos. Ele queria pegar os clientes, enfiá-los na Ágora e dar uma pernada nos representantes das filiais da XP na região Sul. Àquela altura, eles eram mais de cem.

Guilherme e Marcelo foram desanimando com aquela conversa, mas seguiram adiante com a negociação mesmo assim, uma vez que não tinham acumulado a coragem necessária para dizer não àquele dinheiro todo. Sentindo que o negócio lhe escapulia das mãos, Plass começou a pressionar para que eles fizessem um anúncio da fusão à imprensa.

— Guilherme, vamos fazer um anúncio oficial da operação, e depois a gente acerta as coisas. Esses detalhes do contrato são coisas menores — disse Plass, por telefone.

— Não, Plass, a prioridade é o contrato. Vou ficar mais tranquilo para falar desse negócio quando a gente tiver discutido tudo.

Quando já tinham um contrato mais ou menos acertado, embora cheio de pendências, Plass voltou a insistir no tal anúncio, que aconteceria numa segunda-feira, dia em que assinariam um primeiro contrato. No fim de semana, Marcelo e Guilherme discutiram o assunto no almoço, no jantar e em ligações entre essas refeições em Porto Alegre. A dupla tinha pouca confiança na própria capacidade de desenhar um acordo em que ficassem protegidos de alguma maneira e estava desconfortável com o modelo sem agentes autônomos. Foi quando o caldo entornou de vez.

— Guilherme, a gente trouxe um monte de gente para a empresa como é hoje. Vamos juntar com a Ágora e falar que não vale mais? Que o projeto acabou?

Por mais sedutor que fosse fazer parte da maior corretora do país, como sócios, e ainda tocar a operação de varejo, estava claro para os dois fundadores da XP que o preço a pagar era alto demais. Domingo à noite, um tenso Guilherme ficou encarregado de ligar para Plass.

— Estou ligando para você porque... me desculpa, mas a gente não vai assinar. A gente pensou bem e não vai dar.

— Calma, Guilherme, por quê?

— Estamos cheios de dúvidas. A gente chegou até aqui, temos ainda um longo caminho, mas não queremos desapontar quem nos ajudou até agora. Tem cem caras acreditando na gente, não queremos atrapalhar a vida deles, e a gente acha que essa união com vocês vai atrapalhar...

— Guilherme, isso é detalhe de contrato. Vamos resolver, manter o anúncio para segunda.

— A gente não está pronto, Plass, não está na hora. A gente adorou te conhecer. Você mostrou que a gente é realmente capaz. Até agora ninguém tinha falado que a gente era bom, cara... mas a gente quer seguir carreira solo...

— Guilherme! — tentava interromper Plass. — Guilherme, escuta!

Mas Guilherme repetia os argumentos, gaguejava, alterava o tom de voz, voltava ao ponto inicial, falava sem parar, para não abrir espaço para o "avião" das negociações.

— Vamos tentar seguir a nossa vida aqui. Te admiramos demais, você colocou uma grana na mesa que a gente nunca tinha pensado em ver, mas vamos tocar nosso projeto com os agentes autônomos. A gente vendeu um sonho aqui.

A conversa foi gravada e os sócios da XP ouviram a fita algumas vezes para acreditar que, de fato, tinham jogado 30 milhões pela janela.

Foi com um misto de melancolia e alívio que Guilherme e Marcelo saíram para jantar, acompanhados de Julio e Ana Clara.

— Ana, perdemos 30 milhões hoje — resumiu Maisonnave.

Ter recebido uma oferta como aquela e desistido deu à XP uma injeção de confiança. Mesmo tocada daquele jeito tosco, ela já valia 30 milhões de reais. Se aplicassem algumas das lições aprendidas nas conversas com Eduardo Plass, era impossível que não valesse ainda mais.

A PRIMEIRA ATITUDE na era pós-Plass foi começar a arrumar a bagunça da XP. Eles tinham percebido que estavam na Idade da Pedra, brincando de *partnership* e fazendo tudo errado. Foi depois das discussões com Plass que a XP Investimentos e seus sócios principais fizeram o primeiro acordo de acionistas. A regra de preço de compra e venda das ações foi estabelecida: era agora oficial a métrica de precificação de três vezes o Ebitda da empresa mais o valor do seu patrimônio. Quem fosse admitido na sociedade pagaria esse valor e quem saísse receberia a mesma coisa. Não seria mais permitido fazer contas de orelhada, como aquela que levara o custo do MBA de Julio Capua a equivaler a 15% da XP.

Também ficaram mais delineados os papéis de cada um. Foi ali que Guilherme ganhou o cargo de CEO (*chief executive officer*, ou presidente), cuja função já exercia na prática, e Marcelo o de COO (*chief operating officer*, ou diretor de operações).

Eles também definiram que parte dos novos sócios entraria em sociedades distintas. Foi criada a XP Educação (XPE), braço que administraria todos os cursos e que, na prática, já funcionava de forma segregada. Capua levou Gabriel Leal, aquele seu estagiário na Ceras Johnson, no Rio. Leal ficou seis meses tocando a área de educação da XP na capital fluminense, quando Guilherme o chamou para Porto Alegre, onde assumiu a XPE no país todo. Até ali, eram duzentos alunos por mês em menos de dez cidades, e Guilherme queria ganhar o mapa com os cursos da XP.

— Gabriel, você toca esse negócio agora. A gente pode reinvestir tudo que der de grana em mais curso, pra atrair mais aluno. Você só tem uma condição: não pode dar prejuízo de jeito nenhum — disse Guilherme.

Foi também nesse período que entraram no grupo Pedro Englert, um jovem que coordenava a rede de afiliados dos postos Ipiranga e foi trabalhar com Maisonnave na coordenação da rede de agentes autônomos, e Fernando Petersen, gaúcho que tinha trocado a diretoria de uma fábrica de tecidos para integrar a equipe comercial da XP. Com o time mais ou menos arrumado e regras claras de compra e venda de ações, a companhia deu um passo rumo ao profissionalismo. Mas uma conversa que tivera com Plass não saía da cabeça de Guilherme. Plass não acreditava no modelo de agentes autônomos e achava que só com uma corretora a XP conseguiria chegar ao máximo de seu potencial. Claro, aquilo era o canto da sereia de quem tinha uma corretora para oferecer. Guilherme, porém, ficou obcecado pelo assunto, até que um dia anunciou para os sócios:

— Galera, vamos precisar virar corretora.

Era uma guinada completa no modelo de negócios da XP. Ter uma corretora significava abandonar a leveza que a vida de agente autônomo garantia. As corretoras precisavam ter capital, investir em tecnologia, correr muito mais risco. Corretoras quebravam a todo momento. Fora que a XP não tinha dinheiro para sonhar muito alto. Mas a bolsa continuava bombando, e a corretagem era o melhor negócio do mundo naqueles tempos eufóricos. O Ibovespa estava em seu quarto ano seguido de alta, a taxa de juros caíra de 26,5% ao ano para 13,75% e o número de pessoas usando o *home broker* dobrava a cada ano. A XP não tinha *home broker*, não ganhava com corretagem e ainda entregava parte de seu resultado para as corretoras com as quais operava. Apesar de certa resistência inicial dos sócios, a decisão estava tomada, e todos começaram a correr atrás de seus contatos em busca de uma corretora para comprar ou se associar.

A ideia de virar corretora também foi impulsionada por uma crise com a Investshop por conta da inexperiência dos agentes autônomos. Quando o varejista on-line Submarino lançou sua oferta de ações na Bovespa, um deles distribuiu um material mostrando o potencial da operação para os clientes. Parecia algo normal, mas a CVM proibia qualquer tipo de propaganda de ofertas de ações, e o material de divulgação desse tipo de operação precisa ser aprovado pela própria autarquia. O fato é que a Investshop foi excluída do IPO do Submarino em função da barbeiragem de um agente autônomo da XP em Porto Alegre. As conversas posteriores com Plass só reforçaram a ideia de que a empresa deveria pensar em um novo rumo.

A relação entre a Investshop e a XP começou a azedar. O Unibanco, que àquela altura já era dono da Investshop, decidiu punir a XP aumentando as taxas que ficavam com a corretora nas transações levadas pelos agentes. Se isso tivesse acontecido um pouco antes, provavelmente Guilherme e companhia aceitariam a punição de bico calado. Mas a XP já operava com mais de 8 mil clientes — era grande demais para depender dos humores de uma corretora. Ali, eles decidiram cortar o cordão umbilical, acabando com o contrato da Investshop e migrando a base de clientes para a corretora Intra. Não era tarefa simples. Os sócios passaram uma semana ligando para os clientes e explicando a migração. Ali, a XP perdeu um quinto de sua base de clientes, gente que não viu sentido em mexer em seu cadastro. A perda de contas naquela transição era mais um sinal do quanto a vida de agente autônomo, mesmo grande daquele jeito, gerava incertezas.

A XP queria mais independência, e o fato de ser uma tropa de agentes também fazia com que o mercado financeiro "tradicional" esnobasse a companhia. Os sócios sentiam que eram colocados na categoria de segunda divisão, mesmo superando o volume das corretoras locais, Solidus, Geral e Diferencial.

O Brasil tinha mais de oitenta corretoras, e a dificuldade de encontrar alguma disposta a aceitar a XP como sócia era enorme. O mercado era fortemente regulado, e abrir uma nova corretora parecia praticamente impossível. O jeito seria encontrar alguma à venda. Guilherme chegou a propor comprar uma participação de 1% na Intra, por onde a XP já operava, mas os donos não queriam saber de novos sócios.

Enquanto a corretora não vinha, a XP se preparava para ocupar algum espaço no mercado carioca — outra consequência das negociações com Plass fora a conclusão de que era impossível não estar presente no Rio, onde tudo acontecia. Julio Capua, que tinha apanhado em Porto Alegre desde a fundação da gestora e queria voltar ao Rio, se candidatou.

Julio não aguentava mais morar em Porto Alegre. A *asset* não tinha decolado, a grana não rendia, ele queria ir à praia no fim de semana, estar perto da namorada que havia deixado no Rio, frequentar os mesmos lugares de sempre. Convenceu os sócios de que era hora de estar à frente de uma operação relevante, uma vez que nunca tinha tocado sozinho uma filial, e ficou encarregado de consolidar um escritório no Rio, com a marca e a cara da XP. A companhia agora sabia por onde começar. Um escritório de agentes autônomos que já operava com a corretora Intra na capital fluminense era próximo da XP, comandado, com sua própria marca, por Alexandre Marchetti e Henrique "Xoulee" Cunha.

Marchetti tinha estudado com Guilherme no colégio São Vicente de Paulo e eles voltaram a se encontrar nos tempos de Investshop. Marchetti não estava na leva dos demitidos e ficou na empresa atendendo à Diferencial. Quando o Unibanco comprou a corretora, ele abriu com Xoulee seu próprio escritório de agente autônomo, na Barra — mas nenhum cliente conseguia chegar lá no fim do dia, atravessando a cidade no horário de pico do trânsito, para assistir aos cursos que replicavam da XP. Eles queriam abrir outro escritório no Leblon e viram a oportunidade de se tornarem sócios da XP. A missão de Julio era montar essa operação e implementar finalmente o nome da empresa no Rio.

Talvez excetuando Plass, ninguém de peso no eixo Ipanema-Leblon conhecia aquela empresa de nome esquisito. Quem tinha ouvido falar na XP achava que Guilherme era um professor de finanças gaúcho, percepção que duraria por muitos anos no Rio e em São Paulo. A XP alugou a cobertura do que costumava ser um flat no Leblon e estava sendo convertido em edifício comercial, o mais barato que conseguiram encontrar no bairro de metro quadrado mais caro da cidade. O segundo andar era ocupado por uma piscina, e as janelas do imóvel eram triangulares. Foi o pai de Marchetti quem se encarregou da obra, para economizarem no projeto de reforma, cobrindo a piscina a fim de transformá-la em sala para cursos e clientes.

O sonho de Julio era contar com terminais de dados financeiros da Bloomberg — possivelmente um trauma por não ter tela disponível desde os tempos em que copiava a Dynamo. A XP não tinha cacife para isso ainda, mas ele deu um jeito de incrementar. No banheiro masculino do escritório, uma tela de TV acima dos mictórios ficava o dia todo ligada no canal de televisão da Bloomberg. Não era a mesma coisa, mas já causava certa impressão em quem ia ao escritório. Julio, Marchetti e Xoulee começaram a replicar no Rio a estratégia da XP adotada no Sul. Definida como tática de guerrilha, percorriam faculdades de economia, buscavam parcerias com câmaras de comércio, organizavam palestras para médicos em hospitais. Tudo para chamar alunos para os cursos e para criar, a partir daquela base, um grupo de operadores de mesa e atrair novos clientes.

No Rio, Julio ficou mais próximo do mercado financeiro dos adultos. E o que dominava as conversas, naquele momento, eram os preparativos para a desmutualização das bolsas de ações e de mercadorias e futuros, a Bovespa e a BM&F. Desde a década de 1960, ambas eram associações sem fins lucrativos. As corretoras precisavam deter títulos patrimoniais para serem conectadas às bolsas e ser sócias — títulos que custavam milhões de reais e variavam de preço conforme o tipo de licença que a corretora queria. Esses títulos seriam transformados em ações da bolsa, que as corretoras venderiam em uma oferta pública inicial de ações (IPO) das próprias bolsas. Isso significava, para os donos de corretoras, embolsar algumas dezenas ou centenas de milhões de reais no IPO. A ideia das bolsas era seguir o caminho internacional — cerca de 70% das bolsas do mundo já eram desmutualizadas à época — para abrir espaço para mais corretoras e intermediários e, assim, fomentar o mercado de ações e futuros.

A Bovespa seria desmutualizada em agosto de 2007 e a BM&F em setembro, e ambas se preparavam para os respectivos IPOs logo depois disso.

Com a mudança das bolsas para empresas com fins lucrativos, uma corretora precisaria apenas se credenciar na Bovespa e cumprir alguns parâmetros como instituição de intermediação financeira, como faziam os bancos — possuir patrimônio mínimo, por exemplo. As corretoras cariocas, que tinham um tipo de licença regional, passariam a ter licença nacional, podendo operar e abrir filiais em todos os estados. Para isso precisariam de 10 milhões de reais de patrimônio — o que, obviamente, não era o caso da XP.

Nos meses pré-desmutualização, os sócios da XP ouviram falar que Jorge Felipe "Pipo" Lemann, filho de Jorge Paulo e dono da corretora Flow, estava procurando uma carta patente de corretora para operar na Bovespa. A Flow só negociava na BM&F, inclusive para a XP. Guilherme e Julio procuraram Pipo propondo uma associação em que a XP cuidaria do negócio de renda variável. As conversas acabaram não andando, mas — de novo — o acaso deu um empurrão para a XP.

— Eu tenho um cara para te apresentar — disse Pipo para Julio. — O Klebinho.

5
A MENOR CORRETORA DO BRASIL

Luiz Kleber Hollinger da Silva, o Klebinho, operava no mercado financeiro desde a década de 1970. Era um sujeito boa-praça e tinha em torno de sessenta anos: os cabelos grisalhos passavam do ponto de corte, um tanto desgrenhados, sua pele carregava um leve bronzeado e as rugas no rosto contrastavam com o jeito de garotão da zona sul. Dono da corretora Americainvest, Klebinho não possuía um terminal Bloomberg em seu escritório e dispensava fórmulas matemáticas. Operava no mercado de ações, dizia, usando seus instintos. Em pleno século XXI, era um membro remanescente da chamada velha guarda.

Sem grandes investimentos, era de se esperar que a Americainvest fosse uma espelunca, e era quase isso mesmo. A corretora ocupava cem metros quadrados num prédio em Ipanema, tinha três funcionários, sendo um deles a secretária de Klebinho, e operava para menos de dez clientes. Segundo a lenda que se consolidou no mercado carioca, seu cliente era o Opportunity, o banco de Daniel Dantas — o que ele sempre negava. As duas salas de reunião eram ornadas com fotos do dono. Numa, abraçado ao então presidente Lula, noutra ostentando um cabelo que ia até a cintura. A Americainvest estava entre as últimas colocadas no ranking de volume de negociação da bolsa brasileira. E encontrava-se tecnicamente quebrada.

Mas os sócios da XP não estavam em posição de escolher a corretora que queriam comprar: que não dava para comprar Ferrari com dinheiro de Fusca eles já sabiam. Klebinho queria vender a corretora, se livrar daquele problema e embolsar o dinheiro que ganharia com o IPO da Bovespa, o que estava programado para acontecer em 2007. Dava um pouco de medo, contudo era uma oportunidade única.

Quem era apresentado a Klebinho e a seu muquifo levava um choque. Como a CVM deixava aquela corretora funcionar? "Isso aqui parece a terra de Marlboro", pensava Guilherme, lembrando-se dos comerciais de cigarro dos anos 1980 que remetiam ao faroeste americano. Os servidores, que por regulação precisavam manter armazenados por cinco anos o histórico de cada operação, ficavam num canto da sala, respingados de café. Mas, à medida que foram se conhecendo melhor, o fundador da XP e o maluco beleza da Americainvest engataram uma relação que culminaria na mais surrealista venda de corretora de que se tem notícia no Brasil.

Fosse pela força de marca, fosse em escala ou acesso a clientes, a Americainvest não agregaria simplesmente nada à XP. A corretora de Klebinho faturava cerca de 50 mil reais por mês, quase nada perto do volume de receitas que a XP já obtinha em 2007, na casa dos 3 milhões de reais por mês. Mas a Americainvest tinha algo que as outras não tinham — um dono disposto a vender e uma estrutura precária que, na prática, significava preço baixo. E a XP precisava da carcaça de uma corretora para enfiar seus clientes.

Por sua regulação arcaica, o mercado de corretoras era praticamente inacessível para novos entrantes. Não bastava querer abrir uma corretora, era preciso comprar a carta patente de quem já tivesse uma. Tratava-se de um clube fechado com uma barreira de entrada imensa. E a Americainvest, daquele jeitão meio bizarro, representava para a XP o título de sócio do clube.

O pulo do gato para tornar a operação um pouco mais atraente era a conversão dos títulos patrimoniais detidos por donos de corretora em ações da Bovespa, o que aconteceria na abertura de capital da bolsa. Com aquela operação, Klebinho levantaria um bom dinheiro e a Americainvest teria os 10 milhões de reais de patrimônio mínimo exigido para que uma corretora pudesse atuar nacionalmente. A XP não tinha dinheiro e teria de oferecer uma participação acionária para Klebinho, e os sócios se dedicavam a convencê-lo de que aquele negócio tinha futuro. Foi fácil.

Klebinho era uma espécie de anti-Plass, o que facilitou a conversa com os informais donos da XP. Curiosamente, naquela mesma época Guilherme procurara Plass para perguntar se ele ainda tinha interesse na XP. As empresas de Plass e Klebinho ficavam no mesmo prédio em Ipanema, e Guilherme entrava no elevador de óculos escuros e boné, numa pouco eficaz tentativa de não ser descoberto por um ou outro.

— Foi falar com o alemão, Guilherme? — divertia-se Klebinho diante de um envergonhado Benchimol.

Até o final, os sócios da XP temiam que Klebinho estivesse escondendo o jogo. Aquela boa vontade toda só podia ser uma farsa para enganá-los e fazer uma relaxada XP se dar mal nas entrelinhas do contrato. Quando Guilherme mencionou a necessidade de fazer uma auditoria nos números da corretora, ouviu de Klebinho:

— Que auditoria, Guilherme? A minha corretora é isso aqui, tenho três pessoas. Tu vai gastar dinheiro com auditoria?

Guilherme achava graça, mas era impossível não desconfiar. As finanças da Americainvest eram um desastre completo, e a corretora tinha um rombo milionário em seu patrimônio. Para evitar ser passado para trás, Guilherme decidiu gastar dinheiro de verdade no que considerava "um superescritório de advocacia". Era outra lição obtida na negociação com Plass, durante a qual a XP não tivera nenhum tipo de assessoria jurídica. Contrataram o tradicional escritório carioca Motta, Fernandes Rocha, que depois acabou sendo substituído pelo Barbosa Müssnich Aragão (BMA), um dos mais caros e respeitados do Rio de Janeiro, que havia assessorado algumas das fusões mais importantes da década — três anos antes, tinha trabalhado na bilionária fusão da cervejaria Ambev com a belga Interbrew.

Os advogados produziram um detalhado contrato de oitenta páginas. Guilherme propunha avaliar a XP em 50 milhões de reais, um salto de 20 milhões em relação à conta de Plass pouco mais de um ano antes. Klebinho ficaria com 5% da XP e um aporte cobriria o buraco de 2 milhões de reais no patrimônio da corretora. Ele se comprometeria, ainda, a manter dentro da corretora os 10 milhões de reais que ganharia com a abertura de capital da Bovespa.

No dia marcado para a assinatura, Guilherme estava preparado para ficar ao menos mais uma semana negociando cláusula a cláusula. Sua referência, afinal, era a desgastante negociação com Plass — mas dessa vez ele estava determinado a fechar negócio, mesmo que Klebinho fizesse jogo duro. Acabou que as coisas tiveram um desfecho inesperado.

— Gui, não vou ler nem uma vírgula disso aqui, confio em vocês — disse Klebinho, de pé, enquanto assinava a papelada.

Guilherme não conseguia acreditar. Assinar sem ler era desapego demais até para o maluco beleza.

Klebinho entregou a Guilherme a documentação da corretora e um papelzinho com as senhas necessárias para efetuar qualquer operação.

Andou até o meio do escritório e abriu a porta de correr que dividia sua sala do ambiente onde ficavam os três funcionários.

— Pessoal, esse aqui é o Guilherme, o novo comandante. Estou indo para Paris.

Pegou suas coisas, saiu da corretora e fez o que tinha prometido. Entrou no primeiro avião para Paris, onde passaria meses relaxando sem dar notícia. O problema da Americainvest, agora, era da XP.

Se para a XP a compra da Americainvest era um passo importante, para Guilherme representava muito mais que isso. A assinatura daquele contrato tinha gosto de vingança. O trauma da série de fracassos em sua carreira no Rio de Janeiro ainda era vivíssimo. O sucesso da XP na longínqua Porto Alegre era ignorado pelos amigos, pela família, pelo mercado no Rio e em São Paulo. Na cabeça de Guilherme, todos ainda o achavam o mesmo derrotado de seis anos antes.

Agora que era dono de uma corretora em Ipanema, ele se mataria de trabalhar até provar que estavam errados.

A COMPRA DA AMERICAINVEST mudou o centro de gravidade da XP. Fazer a corretora dar certo era importante demais, e Guilherme decidiu morar no Rio com Ana. Deixaram o apartamento de três quartos no bairro do Bom Fim, em Porto Alegre, e se mudaram para um imóvel do mesmo tamanho em Ipanema, a algumas quadras da Americainvest. O aluguel deu um salto — passou de 1,5 mil reais mensais para 5 mil. Marcelo, por sua vez, permaneceu em Porto Alegre tocando a rede de agentes autônomos da XP. Julio cumpria papel semelhante ao de Marcelo no Rio. Assim, o núcleo de poder da XP migrou de Porto Alegre para Ipanema junto com Guilherme.

Em 2007, na esteira da euforia da bolsa, a XP "tradicional" vivia numa bolha em Porto Alegre. Os cem lugares da nova sede foram preenchidos em seis meses, e a empresa girava mais dinheiro que todas as corretoras tradicionais da região Sul. Era uma vitória do modelo de agentes autônomos, ainda visto com enorme resistência por todos os competidores estabelecidos. Com um lucro superando os 10 milhões de reais por ano, os sócios da XP já começavam a ter algum dinheiro para viver melhor. Mas, agora que as coisas davam certo, era hora de mudar tudo.

Virar corretora representava uma oportunidade e um risco. No melhor cenário, a XP extrairia muito mais dinheiro com sua base de clientes pelo simples fato de não ter de pagar as taxas que, como agentes autônomos, tinha de repassar para as corretoras. Além disso, poderia oferecer outros serviços, como o *home broker*, que estava ganhando cada vez mais importância. Por outro lado, a complexidade do negócio ficaria muito maior. Um escritório de agentes autônomos tem vida relativamente fácil. Não precisa investir em tecnologia, não tem obrigações de uso de capital, tem custos baixos. Numa corretora, era tudo diferente. Agentes autônomos não quebram. Corretoras, sim.

Sabendo disso, Guilherme assumiu a Americainvest entre eufórico e estressado — pendendo mais para o estresse. A situação financeira da corretora era precaríssima. Para mitigar riscos, ele armou uma ofensiva para já dar a largada com um volume maior de clientes.

Enquanto negociavam com Klebinho, os sócios da XP tinham iniciado conversas com os donos da Manchester, uma pequena corretora de Joinville. De olho na abertura de capital da bolsa, eles queriam embolsar os milhões que seriam obtidos com a desmutualização e fechar as portas. Mas, para isso, precisavam encontrar alguém interessado em assumir sua carteira de clientes — já que o BC determinava que, para uma corretora deixar de operar, primeiro era necessário realocar seus clientes. Neto do fundador, Henrique Loyola tinha ouvido falar da XP pela primeira vez em uma conversa com Augusto de Freitas, um dos donos da corretora Ativa.

Loyola havia tentado costurar uma fusão da Ativa e da Manchester, mas sua família vetou. Ao conhecer a XP, quis entrar para o negócio e a família bloqueou novamente. Quando decidiram finalmente encerrar a atividade da corretora, ele negociou com a XP a compra de 10% da Americainvest (que ainda seria renomeada XP Corretora). Em troca, migraria sua clientela para lá, aumentando o volume de negócios.

Em paralelo, Guilherme e Julio já tinham feito o mesmo com Marchetti e Xoulee. Eles haviam se tornado sócios do Grupo XP e seus clientes passaram a operar na Americainvest. A Intra, por sua vez, perderia ao mesmo tempo dois importantes clientes. Guilherme esperava um contra-ataque e mandou todo mundo se preparar para segurar cada investidor que pudesse ser abordado pela Intra. Mas, quando chegou à corretora para comunicar pessoalmente aos donos que agora iria comandar a Americainvest, eles estavam felizes da vida. Tinham acabado de vender a Intra para o Citibank.

Foi assim, juntando às pressas três operações diferentes — criando aquilo que o próprio Guilherme chamava de Frankenstein —, que nasceu, em julho de 2007, a corretora XP. Os sócios estouraram uma garrafa de champanhe no início da operação simbólica, mas o nome só seria efetivamente alterado quatro meses depois.

O desafio era imenso. A Americainvest não tinha nada que uma corretora de primeira linha deveria ter, e seus sistemas eram precários. Marchetti e Ana Clara assumiram o *back office* em agosto — e levaram um susto com o tamanho do problema que teriam de encarar. Ana Clara estava havia seis anos cuidando do *back office* da XP, porém nunca tinha lidado diretamente com conexões com a bolsa ou outros sistemas de mercado. Até então a área administrativa da XP só tinha que fazer seus controles e repassar ordens para as corretoras — que se encarregavam dos links com a bolsa. Agora, essa conexão das ordens, checagem de margens e controle de registros ficava na operação de retaguarda da própria XP. Com a precariedade herdada da era Klebinho, ela não conseguia sequer localizar o recebimento de depósitos de clientes nem acompanhar a liquidação de ordens na Bovespa. Havia 8 mil clientes para migrar, e Ana convocou uma equipe de quatro estagiários freelancers que passavam o dia digitando cadastros, inclusive sua irmã. Marchetti, que supervisionava a área e geria os riscos de exposição dos clientes, teve uma impressão desagradável. Ficou claro que, para sobreviver, seria preciso começar a investir em tecnologia — e a XP foi, pela primeira vez, buscar alguém para tocar essa área. Assumiu como diretor de tecnologia Sergio Cardoso, que tinha desenvolvido um sistema de operações para o Grupo CMA.

A corretora movimentou a *partnership*, pois era preciso levar gente para assumir áreas que não existiam na fase anterior da XP. Quem entrava, comprava 0,1% de participação, e, a partir dali, era uma briga a cada semestre para aumentar essa fatia. Além de Cardoso, os sócios convocaram reforços de amigos cariocas que estavam em outras áreas de negócios para complementar os papéis na corretora. Bruno de Paoli, um amigo de infância de Julio, tinha aberto uma agência de publicidade que estava prestes a naufragar. A XP começava, pela primeira vez, a pensar na possibilidade de ter uma estratégia de mídia e algum planejamento de marca, e Paoli passaria a cuidar dessa área. Bernardo Amaral, amigo de Guilherme e Julio desde os jogos de tênis no Jockey Club, formara-se em direito. Como ele havia assumido o apartamento de Julio no Leblon quando este se mudou para Porto Alegre, tinha notícias da XP nas idas e vindas do amigo ao Rio. Amaral começou a prestar consultoria para a XP em maio, e em dezembro de 2007 já havia sido posto para dentro.

— Amaral, tem um negócio que se chama compliance que você precisa entender pra fazer uns formulários aí pra gente — disse Guilherme ao novo sócio.

— Compliance? Como é que escreve?

Amaral não tinha a menor familiaridade com qualquer termo relacionado ao mercado financeiro, e o tal compliance apenas começava a virar moda no universo jurídico.

— Você tem que fazer uns documentos de responsabilidade para as pessoas assinarem, alertando que se fizerem besteira a responsabilidade é delas, que é preciso respeitar as regras do mercado de capitais e tal. Vai dar uma estudada, corre atrás.

A XP começava a entrar num mundo novo.

AGORA QUE ERA dono de uma corretora, Guilherme não conseguia tirar da cabeça uma conversa que havia tido com Eduardo Plass enquanto negociavam a compra da XP pela Ágora um ano antes.

— Guilherme, corretora não pode ter agente autônomo — dissera Plass.

Aquele era quase um lugar-comum no mercado brasileiro na época. A base do raciocínio é que as corretoras usavam os agentes autônomos como força de trabalho disfarçada, sem arcar com os custos trabalhistas. De fato, algumas empresas corriam esse risco, já que os agentes davam expediente dentro das corretoras. Não era o modelo da XP, que tinha uma rede de escritórios filiados — e, portanto, um risco de passivo trabalhista que ao longo do tempo se provaria ínfimo. Mas Guilherme, ainda inexperiente e sempre com medo de quebrar, lembrava a regra de Plass e pensava: "E se isso aqui explodir por causa desse passivo trabalhista?"

A preocupação era tanta que ele decidiu dar uma guinada de 180 graus.

— Galera, não vai dar mais pra trabalhar com agentes autônomos. É muito arriscado.

Os sócios se entreolharam, buscando explicações.

Ele reforçou sua tese com outros argumentos. A XP já tinha sofrido perdas de clientes em suas migrações para diferentes corretoras, e aquela estava sendo a maior migração de todas — a corretora XP, eles sabiam, dependeria dessas conversões de clientes.

— A gente tem que criar uma prisão sem muros pra esses caras. Senão eles vão embora e a gente fica largado — repetia Guilherme. — Quero todo mundo com a nossa marca.

Não era uma tarefa simples. Além do peso trabalhista que as contratações gerariam para a XP, virar funcionário não era uma decisão óbvia para os agentes autônomos. Comissionados, eles ganhavam de 15 mil a 20 mil reais por mês no ritmo que a empresa vinha crescendo. Era impossível, pelos encargos sobre o salário, que a XP bancasse o mesmo valor. Benchimol e Amaral definiram que todos teriam um salário-padrão de 5 mil reais (sobre o qual incidiriam os custos trabalhistas), e eles criariam um sistema de bonificação para que a remuneração variável ajudasse a chegar a um montante próximo ao que ganhavam em comissões.

— Guilherme, não dá, cara! Como eu vou sobreviver com cinco contos? Saindo de uma renda de vinte hoje? — gritava o chefe de um escritório de Joinville ao telefone.

Guilherme passou dias inteiros pendurado ao telefone e em reuniões repetindo os mesmos argumentos para cada um. "A gente não pode conviver com esse risco trabalhista, conto com vocês", dizia a cada conversa. Foram mais de duzentas reuniões. No fim das contas, acabou convencendo quase todo mundo — só um agente autônomo abandonou o barco.

O processo de contratação de todo o pessoal durou dois meses. A empresa continuava se tornando mais complexa, mais burocrática e muito mais pesada. Se aquele era o preço a pagar para ter uma corretora decente, eles pagariam.

• • •

DECISÕES DIFÍCEIS como a contratação dos agentes autônomos eram tomadas correndo, uma vez que não sobrava muito tempo para pensar nelas — em 2007, a valorização da bolsa chegaria a 43% e a onda de aberturas de capital atingiria seu ponto mais alto. Naquele ano, o volume de IPOs foi de 55 bilhões de reais, número 258% maior que o de 2006 (que já tinha sido elevado).

A série de IPOs de 2007 acelerava a transformação na bolsa iniciada em 2004, quando a Natura abriu seu capital. Empresas dos mais diversos setores fizeram IPOs em 2007 — foram 23 ofertas apenas de companhias do setor imobiliário. O valor das ações disparava no dia em que começavam a ser negociadas. O valor de mercado da Bovespa subiu nada menos que 52% em sua estreia, numa espécie de símbolo daquela que parecia ser uma nova era no mercado de capitais brasileiro. Banqueiros de investimento que lideravam aquela série de transações embolsavam milhões de dólares em bônus.

Naquele ano, como se dizia na época, até tijolo voava.

A bolsa era capa de revistas, assim como os empresários que se tornavam bilionários quando suas ações valorizavam. Eike Batista, que havia levado sua mineradora, MMX, à bolsa em 2006, começava a gerar fascinação ao transformar simples ideias em empresas avaliadas em bilhões. Fortalecia-se, com esse conjunto de coisas, a crença de que os pequenos investidores precisavam correr para a bolsa se quisessem participar daquela geração de riqueza sem precedentes. O número de investidores pessoa física da Bovespa mais que dobrou em 2007, atingindo 456 mil pessoas.

Para a recém-nascida corretora XP, aquilo era o paraíso.

Ainda instalados no microescritório da Americainvest, sentados durante as reuniões na caixas de arquivo de Klebinho, Guilherme, Ana e os demais funcionários da XP no Rio varavam madrugadas preenchendo — manualmente — as fichas dos mais de mil clientes que chegavam todos os dias em busca da promessa de riqueza da bolsa. Nem o mais otimista sócio da XP esperava que a corretora fosse ter um início tão acelerado. A sensação, ali, era de que tinham feito o maior negócio de suas vidas. Tinham uma corretora no melhor momento do mercado em décadas.

Essa sensação se tornou mais vívida em março de 2008, quando o banco Bradesco comprou a Ágora por 880 milhões de reais. Ao ouvirem a notícia, os sócios da XP levaram um susto. Plass tinha conseguido concretizar seu desejo e não precisara deles para chegar lá. Os 12% que a XP teria na Ágora se tivessem fechado negócio em 2006 valeriam, ali, cerca de 100 milhões de reais, mais que o triplo do valor da *put* de 30 milhões que Plass tinha oferecido. Era dinheiro suficiente para deixar todos os sócios ricos. Mas, passado o baque e a ponta de inveja, mais uma vez eles chegaram a uma conclusão lógica — se a Ágora valia tanto para o Bradesco, a XP poderia valer também. Mas para quem?

Nada parecia capaz de segurar aquele movimento de alta nas ações. Em 30 de abril, a agência de classificação de risco Standard & Poor's deu ao Brasil o "grau de investimento". Na prática, isso significa um selo de qualidade para investidores internacionais, indicando a capacidade que um país tem de honrar compromissos e afastando o risco de um calote na dívida pública. Aquele era um sonho visto como distante por gerações de ministros da Fazenda e mostrava que o Brasil começava a ser visto como um país sério. No pregão do dia, o volume diário de negociação da bolsa, que era de 6 bilhões de reais em média, saltou para 10 bilhões de reais. Em 29 de maio, outra agência, a Fitch, também elevou o Brasil a "grau de investimento", fazendo com que a bolsa brasileira quebrasse seu recorde histórico e atingisse os 73.920 pontos. Finalmente, em junho, Eike Batista fez o IPO de sua petroleira, OGX, levantando 6,7 bilhões de reais naquele que era o maior IPO da história da bolsa brasileira — a OGX ainda não produzia petróleo, mas ninguém ligava para esse tipo de detalhe.

— Temos um selo! Todo mundo ligando pra cliente pra explicar isso, pessoal! — gritava Rossano à mesa de operações.

O inédito *bull market* fez da XP um alvo de cobiça para Itaú e Unibanco, sobretudo depois que o arquirrival Bradesco comprou a Ágora. Se o número de investidores da bolsa continuasse crescendo naquele ritmo, os bancos precisariam se acoplar a empresas como a XP para aproveitar. Em conversas informais, os representantes dos bancos falavam em avaliar a XP em até 240 milhões de reais, uma valorização de até oito vezes em apenas um ano e meio. De repente, a hipótese de colocarem centenas de milhões de reais no bolso passou a ser plausível.

Bastava a festa da bolsa não acabar.

6
MODO DE SOBREVIVÊNCIA LUNAR

Enquanto a bolsa brasileira alcançava patamares nunca vistos na história, o mercado americano emitia sinais preocupantes. Em março de 2008, o venerável banco de investimento Bear Stearns foi resgatado pelo governo e vendido, quase de graça, para o concorrente J.P. Morgan. Na origem dos problemas do Bear Stearns estava uma enorme pilha de empréstimos concedidos durante o *boom* do mercado imobiliário americano. Quando os devedores começaram a dar calote naqueles financiamentos, investidores passaram a duvidar da saúde financeira do banco. Na prática, o governo salvou a instituição financeira e obrigou a venda ao J.P. Morgan. Até ali, supunha-se que esse tipo de problema estava localizado no Bear Stearns, que fora um financiador particularmente agressivo da bolha imobiliária americana. Os investidores não deram muita importância, e o mercado brasileiro continuou subindo. Mas, à medida que as semanas passavam, ficava claro que o Bear Stearns tinha sido apenas o trailer de um filme de terror que começaria para valer seis meses depois.

No dia 15 de setembro, após um fim de semana de negociações frenéticas, o Lehman Brothers, quarto maior banco de investimento dos Estados Unidos, quebrou. Ao contrário do que havia acontecido com o Bear Stearns, dessa vez o governo se recusou a intervir e decidiu procurar um comprador que assumisse o banco. Como o tal comprador não veio, o Lehman foi à lona. Para completar o circo, a seguradora AIG, uma das maiores do mundo, pediu resgate ao Banco Central no mesmo dia — ou quebraria. E o Merrill Lynch, terceiro maior banco de investimento do país, foi vendido para o Bank of America para evitar que seguisse o mesmo caminho. De repente, o núcleo do sistema financeiro americano parecia radioativo. E, com um sistema financeiro radioativo, uma economia para de funcionar.

Começava ali a maior crise financeira desde o *crash* de 1929, que faria a bolsa americana cair 50% e levaria a economia mundial à recessão.

Numa frase que se tornaria famosa, o lendário investidor americano John Templeton disse que um *bull market* "nasce no pessimismo, cresce em meio ao ceticismo, amadurece no otimismo e morre na euforia". A ascensão da bolsa brasileira seguiu esse roteiro. Começara durante o pânico da eleição de Lula, crescera durante o espanto com as medidas econômicas racionais, ganhara fôlego com a sensação de que o Brasil era a "bola da vez" e adquirira, em 2007 e 2008, contornos de exuberância irracional. A série de IPOs de empresas que não tinham a menor condição de sobreviver era o maior sinal de que as coisas haviam passado do ponto.

Era a euforia que precede a queda. E os pequenos investidores que haviam enchido a bolsa achando que ações só subiam estavam prestes a enfrentar o maior susto de suas vidas.

No dia 15 de setembro de 2008, a Bovespa caiu 7%. Num intervalo de apenas 24 dias, o *circuit breaker*, mecanismo que interrompe o pregão por trinta minutos quando o principal índice da bolsa cai mais de 10%, foi acionado seis vezes. As ações brasileiras mais importantes caíram mais de 50% em menos de dois meses. Aquelas centenas de milhares de pessoas que tinham surfado na onda da bolsa viam seu dinheiro simplesmente sumir.

No sábado, dia 13 de setembro, os sócios da XP se dividiram em dois grupos entre Porto Alegre e o Rio de Janeiro. Estavam marcados dois casamentos de sócios. Benchimol, Maisonnave e Glitz foram para Porto Alegre para o casamento de Fernando Petersen. Gabriel Leal se casaria no Rio, onde o restante da turma ficou. Ninguém da XP dançava ou se descontraía. Todos tentavam acompanhar as últimas notícias da crise. A certeza de que o Lehman Brothers seria socorrido acalmava um pouco os ânimos. Ninguém estava preparado para o cenário contrário.

Quando a crise veio, a XP e outras corretoras viveram um momento paradoxal. Embora parecesse que o mundo ia acabar, elas contabilizaram semanas lucrativas como nunca. Isso porque o volume de negociação de ações em momentos de alta volatilidade como aquele sobe muito, o que aumenta os ganhos com corretagem. O mecanismo de *stop loss*, em que investidores definem o preço pelo qual vão vender seus papéis para interromper prejuízos, é acionado como nunca numa crise. E cada ação vendida gera uma taxa para a corretora. Aquela crise, portanto, estava sendo boa para os negócios. Ou pelo menos parecia.

Foi num jantar com o amigo Alex Buccheim, dono da fabricante de produtos de limpeza Limpanno, que Guilherme acordou para a realidade.

— Estou cortando custos que nem doido, essa crise vai ser terrível — disse Buccheim.

— A gente lá na XP tá indo bem pra cacete — respondeu Guilherme.

Mas, saindo do jantar, ele concluiu o óbvio: a XP não passaria incólume por uma das maiores crises da história.

Naquela noite, a chave virou da felicidade para o pânico. Quando a crise acalmasse, o mundo começaria a enfrentar seus efeitos na economia real. Com bancos em xeque em todo o planeta, a recessão seria pesada — uma economia depende de crédito, e o sistema bancário tinha parado de emprestar. Uma recessão significa queda nos lucros das empresas, demissões, queda de renda. Pior, no Brasil, uma crise obriga o governo a aumentar a taxa de juros que paga em seus títulos de dívida, para diminuir a fuga de capitais. É uma combinação péssima para a bolsa. E se a recessão fosse de fato do tamanho que estavam pintando, a XP teria um longo período de maré baixa pela frente.

Essa expectativa vinha no pior momento possível. A XP, afinal, tinha acabado de aumentar seus custos com a contratação dos agentes autônomos, e enfrentar aquela crise numa corretora, com seus custos fixos e suas obrigações regulatórias, era algo para o qual ninguém ali estava preparado.

Agendado em meio à euforia, um evento da XP estava prestes a ir pelo ralo. Na XP Educação, Gabriel tinha alugado uma área de eventos na Barra da Tijuca e contratado palestrantes como o empresário João Doria, o economista Gustavo Franco e o consultor financeiro Gustavo Cerbasi. A área de educação faturava 6 mil reais por mês e o orçamento do evento tinha chegado a quase 100 mil reais e estava fraco de vendas.

— Gabriel, se vira, não quero nem saber. Você montou um evento todo cagado, nada a ver com nada, agora conserta! — gritava Guilherme.

A programação tinha misturado de tudo um pouco. Abordava empreendedorismo, liderança, as agruras de ser empresário no Brasil, finanças pessoais e ainda dava dicas de investimento para pessoa física. Gabriel sentiu a faca no pescoço. Saiu colando cartazes na UFRJ e na PUC, fez parceria com restaurantes, dava desconto para cliente de salão de beleza. O público era tão diverso quanto o evento — mas a conta tinha que fechar.

Guilherme entrara em desespero, e o jeito seria vender uma parte da XP ou fazer uma fusão com uma corretora grande. De alguma forma a empresa tinha que se fortalecer para enfrentar o furacão que se anunciava.

Enquanto a XP fazia as contas na ponta do lápis, os donos das corretoras concorrentes estavam cheios de caixa, resultado da desmutualização. A primeira conversa foi com Jorge Salgado, um dos donos da Ativa, uma tradicional corretora carioca que também mirava a operação de ações com investidores de varejo. Salgado topava, mas não houve consenso entre os sócios da Ativa.

Pedro Damasceno, um dos sócios da gestora Dynamo, havia se reaproximado de Julio Capua e sinalizado interesse em participar do crescimento da XP. Ele via valor naquela empresa que, no início, havia tentado copiar suas estratégias de gestão. Damasceno chegou a sugerir que a Dynamo fizesse um investimento na empresa, o que criaria um belo colchão para que a XP atravessasse a crise. Ele levou a ideia para o comitê de investimento da Dynamo, mas seus sócios não aprovaram o negócio — e, na Dynamo, investimento só era feito com unanimidade no conselho.

A alternativa para a XP então era cair nos braços de Itaú ou Unibanco, que tinham demonstrado algum interesse.

Em meados do ano, ainda em meio ao oba-oba do grau de investimento, Julio recebera uma ligação de Jean Sigrist, vice-presidente da corretora do Itaú. Em um almoço agendado no restaurante Gero, em São Paulo, Sigrist disse que vinha acompanhando os movimentos da XP nos últimos meses e gostaria de fazer uma proposta de aquisição. Mas, nos meses seguintes, que oscilaram entre a euforia e a depressão, as agendas dos dois mal se cruzaram. Julio ligou para insistir na ideia de marcar uma conversa dos principais sócios da XP com Roberto Setubal, presidente do Itaú. Sigrist havia insinuado que a XP poderia valer algo como 114 milhões de reais.

Enquanto essa negociação não andava, Julio acelerava as conversas com o Unibanco, que na pré-crise já havia indicado que faria uma proposta de até 240 milhões de reais. Também faltava uma reunião com o presidente do banco, Pedro Moreira Salles, para sacramentar o negócio.

A reunião com o Unibanco foi agendada para a manhã do dia 3 de novembro, uma segunda-feira. Capua, Maisonnave e Benchimol tinham chegado a São Paulo no domingo, a fim de se preparar para o encontro com Moreira Salles. Eles já tinham se decidido pela transação com o Unibanco, pela clara vantagem financeira, mas ainda não haviam anunciado a desistência ao Itaú.

Nada estava garantido, mas, naquele fim de semana, alguns sócios no Rio já bebiam em comemoração à venda milionária. Para relaxar um pouco, Guilherme e Julio pararam para assistir ao Grande Prêmio de Fórmula 1 em Interlagos. O piloto brasileiro Felipe Massa tinha chances de ser campeão mundial naquele dia, no que seria o primeiro título de um brasileiro desde 1991. Numa corrida maluca, Massa cruzou a linha de chegada primeiro, comemorando o título. Mas ele não sabia que o inglês Lewis Hamilton havia feito uma ultrapassagem a algumas curvas do fim e chegaria em quinto — o suficiente para tirar o título de Massa. Numa cena que se tornaria famosa, os pais de Massa se abraçavam emocionados quando foram avisados de que Hamilton ganhara.

Na segunda-feira de manhã, Itaú e Unibanco comunicaram ao mercado a fusão de suas operações. Desde a eclosão da crise, o Unibanco vinha enfrentando uma corrida bancária, e a fusão dos dois criaria o maior banco privado brasileiro. Para Itaú e Unibanco, era o melhor negócio possível.

Para a XP, não poderia haver notícia pior.

— Porra! Perdemos as duas possibilidades! — gritou Julio quando soube da fusão pela internet. — Cara, a gente é o Massa, não acredito!

Com uma fusão daquele tamanho pela frente, um negócio secundário para Itaú e Unibanco como a XP não voltaria à pauta tão cedo. A reunião com o Unibanco nem sequer foi desmarcada oficialmente. Eles não compareceram e ninguém ligou para cancelar. Quando finalmente conversaram com representantes da corretora do Itaú, ouviram que aquela não era a hora de fazer outra transação.

Desesperado, Guilherme abandonou o orgulho e perguntou de volta:

— Tá, mas vocês têm alguma ideia de quando vai voltar a ser uma boa hora?

Com a resposta negativa, chegou à única conclusão possível — teriam de enfrentar sozinhos a barra que se avizinhava.

Novembro começou e terminou mal para a XP. Foi ali que a falsa euforia do início da crise acabou. Pela primeira vez em sete anos, a XP fechou um mês no prejuízo. Além disso, começava a receber notificações judiciais de investidores que, em suas curtas histórias na bolsa, tinham perdido dinheiro — e agora queriam culpar a orientação dos agentes autônomos.

A Bovespa fechou 2008 com queda de 41,22%. Foi seu pior desempenho desde 1972.

No início de dezembro, Guilherme convocou uma reunião no escritório do Rio por teleconferência com os principais sócios de Porto Alegre. A partir dali, ele avisou, a XP entraria no que Glitz batizou de "modo de sobrevivência lunar". Era preciso demitir e cortar custos, e precisava ser rápido. Todos os sócios teriam de mostrar, naquele dia mesmo, como suas áreas contribuiriam para o aperto.

Em uma tarde, a XP demitiu trinta pessoas, especialmente na área comercial, inclusive gente que havia sido contratada um mês antes. Para os principais acionistas, um grupo de oito executivos, a vida ficaria mais dura.

— Temos que fazer contenção de custos e tem que começar com a gente. Vamos ter que abdicar do salário, senão o negócio não vai parar de pé — disse Benchimol.

Os sócios já estavam acostumados a não ter reembolso dos gastos corporativos. Passagem de avião para visitar cliente, boleto de táxi, conta de telefone celular — tudo que chegava às mãos de Guilherme nos últimos anos como pedido de ressarcimento dos principais sócios por gastos com a companhia viravam bolinha de papel e iam parar na cesta de lixo. Mas agora é que a coisa ia apertar mesmo. O grupo dos principais sócios receberia um valor fixo de até 3 mil reais, mas nenhuma remuneração variável, que era o grosso do rendimento. Tinha sócio recém-casado montando casa, tinha gente pagando carro, mas nada daquilo importava. Glitz, que tinha assumido o comando da gestora, estava de mudança para o Rio. Alugara um apartamento e compraria móveis nos meses seguintes, à medida que fosse recebendo comissões e bônus, cerca de 13 mil reais por mês. Com o corte de salários, mudou-se com um colchão de cadeira de praia, daqueles listrados de amarelo e branco, onde dormiu por um mês até chegar a cama de casal — que permaneceu como único móvel da residência por cinco meses. Para quem já morava no Rio, como Guilherme, Ana Clara e Julio, jantar em restaurantes passou a ser uma regalia para datas muito especiais.

Não dava para prever quanto tempo ia durar a fase sem salário e bônus, já que os desdobramentos da crise global eram imprevisíveis. Mas a XP tinha uma grande vantagem: nenhum daqueles oito sócios tinha um plano B. O único caminho era fazer a XP dar certo.

Guilherme e Amaral se deram conta de que o passivo de ter todos os agentes autônomos como funcionários tinha sido criado no pior momento possível. A XP precisava ficar mais leve, mas tomara decisões na direção oposta meses antes de a crise explodir. Além disso, alguns agentes começaram a migrar para a concorrência. No modelo proposto pela

XP para celetizar seus agentes, o salário fixo seria o piso da categoria e o resto viria de bônus e comissões. Na fase anterior, quando a bolsa subia sem parar, não havia dúvidas de que essa remuneração variável seria boa. Agora, quando nem os sócios principais recebiam bônus, ninguém confiava naquilo. Na concorrência, podiam ganhar um fixo maior. No início de 2009, ao menos vinte agentes pediram as contas.

Influenciado pelas ideias de Eduardo Plass, Guilherme tinha decidido contratar todos os agentes autônomos pensando no longo prazo — numa possível venda da XP para um banco. Mas naquele momento, com a água batendo no nariz, não era hora de pensar no futuro distante.

— Amaral, isso não está funcionando. Vamos inverter esse negócio.

— Está maluco, Guilherme? Os caras não vão aceitar, acabamos de finalizar toda a mudança para a CLT.

— Para os caras não acharem que eu sou maluco, vou falar com eles cara a cara. Pessoalmente.

— Mas são 220 agentes em mais de trinta cidades, Guilherme.

— Melhor eu começar logo, então.

Guilherme ficou mais de um mês pulando de escritório em escritório. Na contratação, tinha ido apenas até os mais estratégicos, mas, para desfazer a operação, achava necessário ir a um por um, explicar que tomara uma decisão errada e que, para o bem geral, teria de invertê-la.

— Você é um moleque! Está brincando de ter empresa! — vociferou o chefe de um escritório em Curitiba.

Nesse processo, a XP ainda teve de enfrentar alguns prejuízos inesperados. Para transformar os agentes em funcionários, a empresa assumira os aluguéis de salas, mobiliado algumas delas, e, no caso de alguns escritórios, chegara a fazer um contrato de mútuo — a fim de que o então dono do escritório providenciasse as mudanças para a transformação em filial e garantisse algum dinheiro em caixa, temendo a migração para o salário fixo baixo. Na peregrinação com o intuito de inverter o modelo, os sócios descobriram que alguns agentes já tinham torrado o mútuo em operações no mercado e não teriam o dinheiro para repor. Ou seja, gastaram a grana que iria para mobília e aluguel em transações financeiras que não haviam gerado lucro e dariam calote naquele financiamento. Em alguns casos, o valor chegava a 240 mil reais, o que, para o tamanho da XP, na época, não era pouca coisa. Além de amargar o calote, a XP também cedeu as salas em que os novos escritórios ficariam como pessoa jurídica, assumindo os custos do mobiliário de quem ainda não os quitara e do contrato de aluguel vigente. O prejuízo total passava da casa de 2 milhões de reais.

O erro de estratégia deu muito trabalho e custou dinheiro que a XP não devia estar gastando naquele momento. Mas, com todas as estratégias que tinham dado errado e outras que fracassariam no futuro, a regra de Guilherme era sempre a mesma: "stop curto", como se diz no jargão de mercado, para mudar uma estratégia perdedora. Ou seja, parar de perder o mais rápido possível. Seria um traço marcante de sua gestão ao longo dos anos. À exceção de movimentos bruscos como a mudança de escritório em Porto Alegre e a compra da corretora, a história da XP seria marcada por pequenos projetos — se dessem certo, o investimento cresceria; se dessem errado, rapidamente seriam engavetados.

Depois de enxugar gastos, a orientação de Guilherme havia sido clara: encontrar outras fontes de receita. Se fossem depender apenas da corretagem, estariam perdidos. Mas como fazer isso quando os brasileiros estavam ficando desempregados?

— Temos que aproveitar a rede de agentes que já temos e a base de clientes para vender outros produtos — sugeriu Maisonnave.

— Vamos colocar seguro. Criar uma corretora para vender seguros de terceiros, tem corretagem, é um negócio mais recorrente, todo mundo tem seguro de carro — disse Glitz.

A ideia foi aprovada e a XP criou uma corretora de seguros. Era a primeira frente de diversificação de produtos para tentar gerar uma receita fora da renda variável. Afinal, não havia sinal algum de que a bolsa voltaria a dar notícias positivas por um bom tempo.

Até que o mercado os surpreendeu de novo — e, dessa vez, a surpresa era boa.

O primeiro trimestre de 2009 passava arrastado. O Brasil tinha entrado em recessão, a primeira retração trimestral desde 2003. Grandes companhias demitiam em massa — a fabricante de aeronaves Embraer, por exemplo, cortou mais de 4 mil vagas. Líderes nacionais como a indústria de celulose Aracruz e a gigante de alimentos Sadia quase quebraram por sua exposição a derivativos atrelados à variação do dólar. Dados de emprego apontavam a maior piora em quase dez anos.

Mas dois fenômenos entraram em cena. Primeiro, o governo brasileiro tirou uma série de coelhos da cartola para amenizar as consequências da crise. Cortes de impostos, queda nos juros de empréstimos de bancos estatais — tudo seria feito para que o país chegasse às eleições de 2010 com a economia em crescimento. O segundo fenômeno foi a visão de que os mercados emergentes (sobretudo a China, mas também o Brasil) estavam se "descolando" dos problemas gerados nas economias centrais. Essa combinação causou um efeito inesperado — a bolsa, que tinha despencado em 2008, voltou com tudo em 2009 para ter, em dólares, seu melhor ano em quase duas décadas. Mesmo com a primeira recessão anual em 17 anos.

A XP não teve nem tempo de lamber as feridas causadas pela crise, pelas demissões e pelos cortes generalizados na remuneração.

É um fato que se repete na história da bolsa, e em 2009 não seria diferente: quem aproveita os momentos de valorização repentina nas ações são os grandes investidores. Os pequenos estão assustados demais com a queda recente de suas ações e só retornam ao jogo quando já leram no jornal algumas vezes que a bolsa voltou a ser um bom negócio. Felizmente para a XP, ainda em 2007 fora criada uma área dedicada à busca por grandes investidores, chamados de "institucionais". Aquele era um passo necessário para crescer e diversificar as receitas de uma corretora que, no fim de 2007, era a 53ª do país. A XP contratou Bernardo Bonjean, um jovem economista que estava à mesa institucional do banco UBS Pactual, para começar a montar sua equipe. A tarefa foi facilitada porque a venda da Hedging-Griffo para o Credit Suisse e a da Ágora para o Bradesco criara uma safra de executivos com medo de perder o emprego ou insatisfeita com seus novos patrões. Quando as corretoras deixavam de ser independentes, mais difícil se tornava o sonho de ser sócio executivo. Carlos Ferreira, o Carlão, pediu demissão da Hedging-Griffo para se juntar à mesa institucional da XP. Maisonnave passou a ser o responsável pela operação institucional, e Pedro Englert assumiu de vez a rede de agentes autônomos.

Em 2009, os clientes institucionais já respondiam por quase 80% do volume negociado pela XP, uma transformação brutal para uma equipe que, por seis anos, só tinha lidado com pessoas físicas. Quando os grandes investidores puxaram a retomada da bolsa, a XP estava pronta para aproveitar. Por um dia, em janeiro, a XP se tornou a primeira no ranking de corretoras independentes da Bovespa, graças ao volume de negociação de mais de 75 mil clientes. No Rio e em Porto Alegre, os sócios comemoraram o feito com champanhe.

O otimismo estava de volta. Para aproveitar a retomada da bolsa, a XP resolveu partir para o ataque e, pela primeira vez, foi para a TV fechada com uma campanha publicitária. "Transforme crise em oportunidade" era um filmete estrelado por Rossano, o sócio agora garoto-propaganda da XP, exibido nos canais GNT e GloboNews ao custo de 300 mil reais. A proposta era atrair novos clientes pessoa física, já que a base tinha estagnado com a crise. A propaganda animou os agentes autônomos, que agora também tentavam vender as apólices de seguros.

Paoli, o sócio responsável pelo marketing, conseguiu uma negociação com a revista *Veja* para colocar, pela metade do preço, um anúncio de uma página que apresentava a XP e mostrava um telefone de contato que prometia atendimento 24 horas em qualquer dia da semana. A *Veja* chegava à maior parte das casas aos sábados de manhã e era lida ao longo do domingo pela maioria dos seus leitores.

— Não dá para falar que o atendimento é integral e não ter ninguém para atender no sábado e no domingo. Tem que colocar alguém para atender esse telefone — disse Paoli.

— Cara, vai bombar, todo mundo lê a *Veja*! Coloca três, quatro pessoas! — opinou Rossano.

O telefone não tocou no fim de semana. Os quatro funcionários passaram a tarde checando as linhas, fazendo testes entre os ramais para ver se não havia algum problema com os aparelhos ou a rede telefônica.

A animação da equipe, no entanto, serviu para a XP investir em uma rede para conectar diariamente os operadores e Rossano, que àquela altura era o chefe de análise e também estava baseado no Rio. A empresa criou a XP TV, uma rede interna em que todos os dias da semana, pela manhã, Rossano falava com os agentes de todos os escritórios sobre as perspectivas econômicas e as principais estratégias para ações, dando o roteiro das conversas que eles deveriam ter com os clientes ao longo do dia. Para fazer isso, a XP comprou antenas para cada escritório, com o objetivo de transmitir o programa diário via satélite. Em três meses, metade das antenas nem tinha saído das caixas de papelão, já que fazer transmissões pela internet era muito mais simples. Um dos convidados ilustres da XP TV era o empresário Eike Batista que, em uma conversa que repercutiria entre reguladores e investidores, disse que a OGX tinha 1 trilhão de dólares em petróleo.

A valorização da bolsa acabou dando coragem às companhias para voltar a fazer emissão de ações. As primeiras foram de duas empresas já listadas, a adquirente Redecard, em março, e a construtora MRV, em junho. A VisaNet (que depois mudaria seu nome para Cielo) organizava, também para junho, a primeira oferta pública inicial em um ano. Com um volume de 8 bilhões de reais, preparava não só a retomada do mercado para estreantes, como seria a maior oferta da história da bolsa brasileira, superando o IPO da OGX. Todas as corretoras estavam alvoroçadas para levar um naco dessa emissão, e a XP também queria dar a sua mordida.

A XP usava um padrão de comunicação com os clientes para informá-los sobre as ofertas iniciais de ações. Como todo material pode ser objeto de análise da Comissão de Valores Mobiliários, e era proibido fazer material publicitário dos IPOs, as peças de comunicação da XP passavam pelo departamento jurídico antes de serem distribuídas pela rede. Um dos analistas tinha organizado um cronograma da oferta, destacando datas de reserva, prazo para precificação e data de listagem. Amaral aprovou e o material foi disparado para os agentes e, deles, para os clientes.

No dia seguinte pela manhã, a XP recebeu um aviso da CVM informando que a corretora estava desclassificada para aquela oferta por ter divulgado material não aprovado. Alucinado, Guilherme chamou Amaral. Quase cinco anos antes, uma barbeiragem no IPO do Submarino tinha estragado a relação da XP com a Investshop. Em 2009, com o tamanho que já tinha, a XP não poderia passar por aquela vergonha, e justo no maior IPO da história.

— Mas, Guilherme, olha aqui, não tem nada de promocional! São só as datas, olha aqui a lei da CVM o que diz, o que não pode é material promocional! — retrucava o advogado.

— A gente não pode ficar de fora dessa operação de jeito nenhum, de jeito nenhum! Vamos para São Paulo resolver isso.

A sede da CVM fica no Rio de Janeiro, mas uma de suas superintendências funcionava em São Paulo, onde também estava a sede da Visanet. A XP contratou o advogado Marcelo Trindade, ex-presidente da CVM, para auxiliá-la.

— Marcelo, olha aqui o material que a gente fez. Todas as corretoras fazem isso, colocam nos sites, olha aqui, a gente trouxe até impresso — disse Guilherme, mostrando as impressões dos sites das grandes corretoras do país.

Trindade redigiu uma resposta em nome da XP à CVM, explicando o uso do material e utilizando a referência das demais corretoras, esclarecendo ainda que se tratava de material informativo, e não publicitário, de uso comum no mercado. O mesmo material foi enviado à Bovespa, cuja sede era também na capital paulista. Antes de voltar ao Rio, no entanto, Guilherme e Amaral resolveram bater na porta do Bradesco, que liderava a coordenação do IPO e era o principal acionista da VisaNet.

— Vamos bater lá, explicar para os caras — disse Guilherme.

— Vamos assim, na raça?

— É, cara, na raça, explicar que foi um grande mal-entendido.

Os dois pegaram um táxi e seguiram para o escritório do Bradesco na avenida Paulista. Eles tinham à mão o nome de três chefes da corretora e do banco de investimento, o Bradesco BBI.

— Interfona aí, por favor, e fala que a gente é da XP.

— Senhor, eles disseram que não vão descer, não.

— Vou subir só para entregar este papel aqui, ó — disse Benchimol, mostrando ao funcionário da portaria uma cópia do requerimento feito por Trindade.

— O que eu posso fazer é encaminhar ao escritório amanhã em horário comercial, senhor.

Já escurecia e Guilherme e Amaral resolveram ficar em São Paulo aquela noite, para ver se o requerimento tinha efeito. Dormiram no hotel Transamérica, na zona sul da cidade, e no dia seguinte ficaram fazendo hora no shopping Iguatemi, próximo ao escritório paulista de Trindade. Mas o tempo passava e, como nada acontecia, voltaram para o Rio. Por volta das 14 horas, houve a publicação de um fato relevante na CVM, informando que dezenove corretoras tinham sido desclassificadas da oferta — incluindo a corretora Bradesco e a Ágora, do mesmo banco. Com isso, todas as reservas de compra dos clientes de varejo dessas corretoras estavam automaticamente canceladas.

— Ih, será que foi a gente? — perguntava Amaral, lendo o comunicado para os sócios.

Como corretora independente e com um modelo — único — baseado nos agentes autônomos, a XP não era a instituição mais querida do mercado financeiro. Para as concorrentes tradicionais do eixo Rio-São Paulo, que eram aquelas ligadas aos grandes bancos, ou as independentes, comandadas havia gerações pelas mesmas famílias, a XP causava estranheza e era alvo de deboche. O aviso na CVM não comunicava a origem da desclassificação, só informava às instituições que elas haviam sido retiradas do processo. Mas bastaram duas ou três ligações, nos bastidores para que começasse a circular em todas as mesas de operação de onde a confusão tinha partido. Os concorrentes ficaram possessos, assim como os agentes da própria XP, que não tinham como atender seus clientes — que precisariam abrir contas em outra corretora se quisessem entrar na oferta.

Duas semanas após o IPO da VisaNet, haveria a primeira reunião depois do ocorrido na então Associação Nacional das Corretoras (Ancor), na qual a XP pleiteava participação em alguns comitês. Maisonnave e Amaral sentaram-se à mesa com outros quinze participantes. O chefe do jurídico já se contorcia na cadeira na expectativa do bombardeio que viria. Das quinze instituições ali representadas, oito tinham sido desclassificadas da oferta da VisaNet por culpa da XP.

— Vocês são uns moleques!!! Estão achando que isso aqui é Porto Alegre, em que as coisas se resolvem batendo na porta do vizinho, pedindo desculpas? — disse um executivo da corretora Souza Barros.

— Inconsequentes e antiéticos! Em vez de assumirem o erro, puxaram os outros com vocês! — reforçou o representante da corretora Icap.

Meses depois, soube-se que o próprio Bradesco e demais bancos coordenadores da oferta haviam pedido o descredenciamento das corretoras para não colocar em risco um IPO daquele porte. Três corretoras, além da XP, já tinham sido descredenciadas antes do comunicado "em massa": Banif, Senso e Geração Futuro.

Dois meses depois, a CVM divulgou uma carta circular em que passava a permitir aquele tipo de material utilizado pela XP. Mas o estrago estava feito.

Não demorou muito, no entanto, para que os empolgados agentes autônomos e sócios da XP protagonizassem o que, mais tarde, eles mesmos definiriam como "mais um episódio atrapalhado na incursão do mundo de gente grande dos paulistas".

Para continuar crescendo, a XP precisava arregimentar mais agentes autônomos. Mas como?

— Vamos ao site da CVM pegar todos os nomes de agentes autorizados, a gente pega o endereço e monta um kit pra esses caras como se eles trabalhassem na XP — disse André Amorim, um dos responsáveis pela expansão da rede de atendimento.

— Boa, vamos mostrar que a empresa está pronta para recebê-los e que aqui eles crescem com a gente — apoiou Amaral.

A turma adorou. Mandaram confeccionar kits com crachá e caixas de cartões de visitas, que já vinham inclusive com o e-mail personalizado, criados para 2 mil agentes autônomos, e entregaram nos respectivos endereços. "Estamos tão confiantes na força dessa parceria que já fizemos o seu cartão de visitas", dizia o material. Só tinha um detalhe:

a maioria dos agentes trabalhava dentro de corretoras e no cadastro na CVM o endereço disponível era comercial.

As caixinhas com os kits chegaram a dezenas de corretoras pequenas e médias como Spinelli, Planner, Coinvalores e Magliano. Os donos das empresas circulavam pelos corredores e pelas mesas de operação, vendo as caixinhas com a marca da XP impressa, e pegavam os cartões para olhar. A velha guarda tomou como agressão pessoal a atitude da molecada.

— Não é assim que se faz. Vocês não têm respeito pelos concorrentes? — dizia a Maisonnave o polido banqueiro Manoel Felix Cintra Neto, sócio do banco Indusval e presidente da Ancor.

Maisonnave ouviu calado, rendido pela estratégia dos sócios sobre a qual nem tinha tomado conhecimento prévio. A chiadeira, mais uma vez, virou assunto de reunião inflada na associação.

— Primeiro a porra da VisaNet, e agora cartão? Esses caras só fazem merda, não dá pra deixá-los soltos um minuto que aprontam — gritava um representante da Planner.

Os representantes da XP se desculparam mais uma vez. Nessa abordagem, poucos agentes migraram de fato para a empresa, mas quase todos aproveitaram a situação para pressionar suas corretoras por um aumento de comissões sobre operações.

Aqueles foram tropeços desagradáveis num ano muito melhor do que qualquer um podia esperar. O ritmo de ofertas de ações tinha voltado a aumentar. O IPO do Santander Brasil, em outubro, foi a maior oferta inicial de ações do mundo naquele ano, atingindo 13,2 bilhões de reais. A Bovespa fechou 2009 com o maior retorno em dólar em dezoito anos, de 145%, e um rendimento, em reais, de 82,66%. Em novembro, a revista inglesa *The Economist* colocou o Brasil em sua capa com a chamada "Brazil takes off" (Brasil decola). A imagem do Cristo Redentor voando como um foguete simbolizava o ano de 2009, quando o tsunami vindo dos Estados Unidos se transformou em marolinha no Brasil.

Guilherme, traumatizado com a experiência de quase morte corporativa de 2008, desconfiava. Ele sabia que o inegável sucesso da XP até ali tinha sido uma consequência direta dos anos seguidos de valorização nas ações brasileiras. Era fácil, para os agentes autônomos da corretora, vender algo que subia sem parar. Ganhava-se 0,5% de cada ordem de compra ou venda executada, e pronto: o cliente ficava feliz com a valorização da ação que tinha comprado e depois voltava para comprar mais.

E quando aquilo acabasse? A crise de 2008 lembrara a todos que a bolsa alterna ciclos de alta e baixa. Apesar do incrível rali de 2009, a impressão era de que aquilo tinha sido bom demais e rápido demais para ser duradouro. E a XP, filha do *bull market* da era Lula, simplesmente não estava preparada para viver num mercado de baixa.

Mas talvez o mais preocupante fosse que a estrutura financeira da XP permanecia frágil, o que gerava um deus nos acuda diário e desafios de ordem prática. As compras de clientes estrangeiros, feitas em grandes volumes, assustavam os sócios. Eram ordens relevantes de dezenas de milhões de reais, e a liquidação precisava ser feita em três dias (o D+3). E a XP, como corretora responsável pela execução, tinha de cobrir a liquidação na Bovespa em caso de atraso. Se não o fizesse, seria excluída do sistema da bolsa. O problema: a XP não possuía esse dinheiro. A cada manhã, os sócios perguntavam a Ana Clara qual era o panorama para os três dias seguintes.

Esse tipo de situação era impensável numa corretora saudável, com capital de giro suficiente para assumir os desaforos de seus clientes. Mas a XP, que não tinha dinheiro e assumira uma corretora com patrimônio negativo, continuava vendendo o almoço para pagar o jantar.

Era preciso fazer uma combinação de duas coisas. Primeiro, levantar capital para gerar mais segurança financeira. Segundo, buscar formas de diminuir a dependência da XP do vaivém da bolsa, e com urgência. A entrada no mercado de seguros de carros, primeira e atabalhoada tentativa de encontrar novas formas de receita, fora um fracasso. Ouvindo falar em crise e desemprego, o seguro era uma das primeiras coisas cortadas do orçamento familiar — com a suspensão do contrato ou inadimplência. Quem ainda não tinha apólice, simplesmente evitava esse gasto.

Eles teriam de lançar mão de algo mais radical.

7
QUERO SER SCHWAB

A ansiedade de Guilherme contaminou os demais sócios: cada um tentava encontrar uma forma de diversificar as fontes de receita da XP, a fim de tornar a empresa menos refém dos humores da bolsa. Era uma questão de sobrevivência pessoal. Eles já completavam pouco mais de um ano sem receber salário, bônus ou dividendos. Qualquer lucro que obtinham era usado para ajudar a capitalizar a corretora ou reinvestido em tecnologia.

Ou seja, por mais que a XP estivesse crescendo, a vida dos sócios continuava duríssima — quem tinha certa poupança, caso de Guilherme, Ana e Marcelo, ia torrando tudo mês a mês. Quem não tinha era obrigado a dar um jeito. Não poderia haver incentivo melhor para a criatividade. Em uma conversa no fim do dia, Marcelo comentou com Gabriel que ouvira falar da americana Pershing.

— Parece que eles fazem uns eventos com os clientes e os agentes de investimento, dá uma olhada lá pra ver se tem alguma ideia — disse Maisonnave.

Subsidiária do banco BNY Mellon, a Pershing é uma plataforma para assessores de investimentos, gestoras de recursos e corretoras com mais de 1 trilhão de dólares de clientes sob custódia. Talvez valesse a pena conhecer a empresa em busca de ideias. Gabriel viu que a Pershing faria uma feira para assessores financeiros em Miami, e os sócios da XP decidiram ir até lá conferir. Guilherme, Gabriel, Glitz, Paoli e Pedro Englert fizeram as malas. Cada um pagou a própria passagem, e se hospedaram no apartamento do sogro de Englert na cidade.

Os brasileiros haviam se inscrito para a feira, mas não receberam confirmação e, barrados na entrada, levaram uma manhã inteira convencendo os organizadores de que eram profissionais de investimentos.

A feira era um evento formal, cheio de gente de terno e gravata. Parecia um encontro da "turma do charuto", apelido que os sócios da XP davam para a velha guarda das corretoras brasileiras. Nada a ver com a XP, portanto. Mas a ida ao evento mudaria a vida de todos eles, e o rumo da XP, para sempre. Não por terem conhecido a Pershing, mas porque foi ali que eles ouviram falar na gigante americana Charles Schwab.

Nascido em 1937 na Califórnia, Charles Schwab era em 2010 o outsider mais rico do mercado financeiro americano. Ele começou a carreira em 1963, lançando uma newsletter com dicas de investimentos. Passou uma década criticando a forma de atuação de bancos e corretoras, que cobravam taxas fixas dos clientes para comprar e vender ações. Em 1973, decidiu criar sua própria corretora.

Em meio à crise dos anos 1970, os investidores individuais estavam abandonando o mercado acionário americano aos milhões, e em 1975 a Securities and Exchange Commission (a SEC, equivalente americana da CVM) iniciou uma série de mudanças com o objetivo de buscá-los de volta. A principal foi a desregulamentação das corretoras, que, contra a própria vontade, passariam a ser "livres" para cobrar de seus clientes da forma que quisessem. Na prática, isso abriu o mercado. Os clientes, enfim, teriam algum poder de negociação com Wall Street.

Essa foi uma das mudanças mais dramáticas da história financeira americana. Era o fim de um jeito de fazer as coisas que durava quase duzentos anos. Apavoradas, as grandes corretoras fizeram de tudo para bloquear a desregulamentação — uma ironia e tanto, já que os maiores ícones do capitalismo americano estavam defendendo um oligopólio com preços fixos ditados pelo Estado. O dia da mudança nas regras (1º de maio) ficou conhecido como "May Day", numa referência ao aviso que os pilotos dão quando seus aviões vão cair.

O fim da corretagem fixa deu à minúscula Schwab a abertura de que precisava para começar sua revolução.

Crítico antigo de Wall Street, Charles Schwab criou uma estrutura de incentivos alinhada aos interesses dos pequenos investidores. Cortou as taxas pela metade e instituiu salários fixos a seus corretores. "Wake Up, America" (Acorde, América) era seu mote antiestablishment. Aquela empresa californiana, fora do eixo Nova York-Boston, passaria as décadas seguintes atacando os bancos e mostrando a seus clientes que não fazia sentido deixar seu dinheiro parado lá. Abrindo uma conta na Schwab, eles pagariam menos em taxas sem sentido.

Seguindo essa filosofia, a Schwab se transformou num "shopping financeiro", oferecendo aos pequenos investidores milhares de produtos de outras instituições, mesmo que concorrentes. Em seus primeiros anos, a corretora tinha sua credibilidade questionada pelo mercado, e os banqueiros nova-iorquinos a definiam como "a piada de Wall Street". Em 2010, a Schwab já possuía 1,6 trilhão de dólares sob custódia, e o patrimônio de seu fundador era estimado em quase 5 bilhões de dólares.

Naquele ano, quando visitaram a feira da Schwab em São Francisco, Benchimol e seus sócios viram o futuro. A Impact, conferência anual da Schwab, é um evento que reúne milhares de assessores financeiros, centenas de gestoras de recursos e palestrantes famosos. Ali, os assessores que trabalham para a Schwab recebem prêmios, ganham aulas de investimento com os papas das finanças e, por fim, sentem-se parte de um "clube".

— É a cara da XP — disse Englert.

Ou melhor, a cara que a XP deveria ter. Os sócios se dividiam na feira e passavam o dia entrevistando assessores e gestores, como se de fato fossem fazer negócio com eles. Como o assessor ganha dinheiro? Qual é o modelo de remuneração? Quem faz mais transações ganha mais ou ganha menos? O cliente faz quantas aplicações por mês? Tem que fazer propaganda? O assessor tem que usar a mesma marca da corretora? No café da manhã eles definiam uma lista de perguntas e no jantar, tinham que entregar as respostas.

Começou ali o projeto mais importante da história da XP: a partir de 2010, eles copiariam a Schwab em tudo.

Talvez só mesmo a ambição misturada à ingenuidade daquela turma de trinta e poucos anos explicasse uma decisão como aquela. A Schwab convencera milhões de americanos a deixar os bancos. Mas no Brasil isso parecia inconcebível, tanto é que ninguém tinha tentado. Os bancos dominavam a vida financeira nacional. Pior, esse era um mercado ocupado por cinco instituições: os estatais Caixa Econômica Federal e Banco do Brasil e os privados Itaú, Bradesco e Santander. As corretoras independentes, por sua vez, pertenciam à turma do charuto, que estava acostumada a fazer tudo basicamente do mesmo jeito havia décadas e, com o IPO da Bovespa, estava rica. Nenhuma corretora independente pensava fora da caixa, e os bancos continuavam brigando uns contra os outros, sem serem desafiados por ninguém.

Como tudo na vida, a ideia era importante, mas a capacidade de executá-la, ainda mais. A XP tinha algo que os outros não tinham. Seu exército de agentes autônomos, que até ali funcionavam exclusivamente como corretores de ações, poderia ser adaptado. A Schwab contava com milhares de *independent financial advisors* que ofereciam muito mais que dicas de compra dessa ou daquela ação, ofereciam uma assessoria de investimentos completa. A XP já possuía essa rede. Faltava virar a chave, mostrar aos corretores que eles poderiam vender outros produtos que, se no início eram muito menos rentáveis que a compra e venda de ações, fariam deles figuras muito mais importantes na vida dos clientes.

Acostumada aos anos de ascensão da bolsa, a XP disputava com outras oitenta corretoras um universo de clientes formado por cerca de 500 mil pessoas e um punhado de clientes institucionais. A Schwab mostrava que isso era muito pouco. Eles poderiam sonhar em competir com Caixa, Banco do Brasil, Itaú, Bradesco e Santander. Estavam disputando espaço na apertada e rasa piscina de crianças quando havia uma piscina olímpica à disposição. Em jogo, estavam milhões de clientes que deixavam trilhões de reais investidos nos cinco maiores bancos do país.

Não seria fácil, nem rápido. Mas agora eles tinham um caminho.

EM 2010, TUDO AQUILO ainda era um sonho distante — os sócios da XP mal tinham dinheiro para jantar fora. Antes de sonhar em brigar com os maiores bancos do Brasil, eles precisavam resolver sua situação financeira periclitante. Como se suspeitava, o *boom* de 2009 na bolsa fora mais um soluço do que qualquer outra coisa. No ano seguinte, a Bovespa começou o que seria uma longa fase de declínio, e a saúde das corretoras só deteriorou. A cada semana, surgia um boato de que a XP estava quebrando.

Vender a empresa não parecia factível, agora que Itaú e Unibanco tinham seus próprios problemas para resolver, o Bradesco ainda apanhava para entender a Ágora e os bancos estrangeiros pareciam estar tecnicamente falidos. O jeito era retomar a tentativa de arrumar um sócio disposto a comprar uma participação minoritária na XP, injetando dinheiro no negócio e fortalecendo a empresa.

A XP já tinha tido conversas infrutíferas com fundos de investimento. Mas Henrique Loyola, o sócio da XP que vendera a corretora Manchester, conhecia o fundo de *private equity* britânico Actis. O empresário José Eduardo Simão, seu sogro, fez a ponte. Simão era um dos sócios da Gomes da Costa, fabricante de conservas de peixes, na época em que a Actis estava de olho em uma marca concorrente, a Coqueiro, que fora colocada à venda pela PepsiCo. O fundo e o empresário tentaram amarrar um negócio, porém a Coqueiro acabou vendida para a Camil e Simão criou sua marca própria. Especializada na compra de participações minoritárias em empresas de países emergentes, a Actis já fechara alguns negócios no Brasil e queria continuar comprando participações.

Simão intermediou um encontro entre Loyola e Chu Kong, sócio da Actis no Brasil. Kong pareceu interessado e disse que faria uma proposta. Acabou sumindo do radar sem fazer proposta alguma.

Loyola também apresentou a operação da XP à gestora de *private equity* brasileira Tarpon e à companhia de investimentos Temasek, de Cingapura. Nenhuma das duas se empolgou muito. Ainda assim, resolveu jogar um verde para cima da Actis.

— Chu, a Temasek quer fechar. Se você não voltar com uma proposta, não vai dar mais tempo — disse Loyola.

Chu não comprou o blefe, mas tinha de fato se interessado pelo negócio e voltou à mesa. Ali, os sócios da XP apresentaram sua ideia de levar ao Brasil o modelo da Schwab. O conselho da Actis, em Londres, torceu o nariz. A XP não era um negócio de grande porte e tinha um time de garotos. Corretoras não eram exatamente um negócio fácil no Brasil, e o cenário para a bolsa em 2010 já estava esquisito. Mas os sócios locais acreditavam na guinada do modelo de negócio. A Actis contratou Mark Collier, ex-presidente da Charles Schwab International, que ajudou no processo e deu o sinal verde.

Entre as primeiras conversas e o fechamento da operação, no fim de novembro, foram cerca de 150 dias, tomados essencialmente pela sempre penosa diligência, período em que o comprador contrata auditores e advogados para revirar todos os números de quem está colocando ações à venda. A XP era assessorada por Amir Bocayuva e Fabrício de Almeida, do escritório BMA. A Actis tinha como assessor jurídico o escritório Mattos Filho e a negociação era conduzida por Chu e seu sócio, Patrick Ledoux.

Logo na largada foram definidos os pontos essenciais. Primeiro, a XP seria avaliada em 500 milhões de reais, ou cerca de vinte vezes seu lucro líquido esperado para 2010. Aquele era o múltiplo em que as ações da Schwab eram negociadas na Bolsa de Nova York, e o alto crescimento recente da XP parecia justificar o valor. Em troca de 20,5% da empresa, a Actis faria uma injeção de 100 milhões de reais no negócio — ou seja, os sócios não venderiam ações. O objetivo dessa transação, afinal, era dar à XP o fôlego financeiro que ela nunca havia tido.

A Actis, um fundo até então pouco conhecido no Brasil, logo ganhou a simpatia dos sócios da XP, e por uma razão inusitada: ela havia nascido de uma cisão do CDC, uma espécie de BNDES britânico — suas origens, forçando um pouco a barra, remontavam ao governo de Sua Majestade. Talvez num reflexo de certo complexo de vira-lata dos sócios da XP, a percepção de que estavam vendendo uma participação para a Coroa britânica fez um bem danado para o ego da turma.

— Agora é o Palácio de Buckingham! — brincavam. — A rainha Elizabeth vai ser nossa sócia!

A XP precisava do dinheiro com urgência, mas investimentos estrangeiros no setor financeiro no Brasil tinham de ser aprovados por decreto presidencial — e era difícil estimar um prazo para isso. O histórico mostrava que poderiam se passar até dois anos entre o pedido e a aprovação. A forma de viabilizar o aporte sem infringir a regra era emitir uma debênture conversível, por meio de uma holding controladora da XP, que acabara de ser criada. Quando o decreto fosse assinado, a dívida detida pela Actis viraria participação acionária na XP.

Nos últimos três dias de negociação, as conversas se arrastaram, presas a detalhes que só importam a advogados. Às três da madrugada do dia marcado para a assinatura do contrato, o estresse chegou ao máximo. Bocayuva e Chu começaram a discutir uma cláusula de não competição que a gestora queria impor aos sócios da XP, que ficariam impedidos de abrir concorrentes. Bocayuva foi categórico ao dizer que, da forma como estava a proposta, eles simplesmente não assinariam. O tom subiu, e a discussão se acirrou, enquanto o resto da sala assistia em silêncio, sem entender direito como o clima ficara carregado de uma hora para outra. Enfurecido, Chu bateu na mesa:

— É *dealbreaker*!

No jargão dos negócios, *dealbreaker* é o tema que faz uma negociação morrer.

Chu juntou sua papelada, colocou o celular no bolso e saiu da sala. Julio e Amaral se entreolharam.

— Cara, o que significa isso? Você matou nosso *deal*? — perguntou Julio a seu advogado.

Chu e Patrick, os sócios da Actis, eram macacos velhos no mundo das fusões e aquisições. Já tinham mais de duas dezenas de negociações daquele tipo no currículo. Para eles, o confronto e o estresse com o adversário eram apenas uma tática do jogo. Mas para os sócios da XP, cuja experiência se limitava à caótica negociação com Plass e à moleza proporcionada por Klebinho, o piti de Chu era motivo de pânico.

Alguns sócios da XP com participação acionária mais relevante tinham sido chamados para assinar o contrato no domingo às quatro da tarde — acabaram cochilando numa sala ao lado, enquanto a reunião pegava fogo.

Julio, que assumira a diretoria financeira da XP e começava a ganhar projeção na empresa, saiu correndo atrás de Chu no elevador. Sentaram-se em outra sala para conversar, até que Amir assumiu o papel de conciliador. Os sócios, no fim, aceitaram o acordo de não competição. Depois de um intervalo de duas horas, e algum descanso forçado nas cadeiras e nos sofás do escritório do BMA, todos voltaram à sala e assinaram o contrato.

À tarde, quando o dinheiro da Actis entrou na conta da XP, Guilherme saiu com Julio para dar uma volta em Ipanema. Era a celebração comedida de quem se sentia, mais do que feliz, aliviado. Aqueles 100 milhões de reais representavam, para ele, o primeiro respiro desde que fundara a XP, nove anos antes. Trabalhara como um burro de carga naqueles anos todos, e sua paranoia o impedira de relaxar por um momento sequer. O fracasso estava sempre à espreita. Mesmo quando compraram a corretora, naquele que tinha sido o grande feito da XP, o desafio que viam pela frente era grande demais. Não dava tempo de parar para festejar.

Com o investimento da Actis era diferente, e por duas razões. Primeiro, o aporte de um fundo estrangeiro dava à XP mais credibilidade, algo que Guilherme buscava desde os primeiros anos. E, finalmente, garantia o tal fôlego financeiro que nunca haviam tido. Em 2010, a XP já era a terceira maior corretora do país, um crescimento espantoso para quem estava na 53ª posição em 2007. A empresa tinha 70 mil clientes cadastrados, sendo metade deles de fato ativos, e trezentos agentes autônomos de investimento, com uma receita anual de 185 milhões de reais. Contudo, mesmo com esse sucesso todo, continuavam vivendo no aperto.

A partir da entrada da Actis, a empresa poderia sair do modo de sobrevivência lunar iniciado na crise de 2008. Os sócios voltariam a receber salários e dividendos. Eles eram, afinal, donos de uma empresa de meio bilhão de reais. Pela primeira vez na história da XP, eles se sentiram ricos — no papel, já que não tinham colocado um centavo no bolso. Mas, de qualquer forma, ricos.

Julio guardava sua canoa oceânica em Ipanema. Eram quatro da tarde e o sol de novembro ardia com o fim da primavera. Guilherme e Julio tiraram os sapatos e decidiram remar até as ilhas Cagarras, de calça e camisa social. Foram até lá, voltaram e seguiram para casa. A comemoração terminou ali. A Actis, afinal, tinha acabado de comprar o projeto de transformação da corretora XP numa empresa de investimento nos moldes da Schwab.

Agora, era ralar para fazer aquilo dar certo.

8
UMA EMPRESA BILIONÁRIA

As vantagens de transformar a XP numa Schwab tupiniquim eram uma unanimidade entre os sócios — mas aquele bando de sujeitos recém-chegados aos trinta anos não tinha a menor ideia de como fazê-lo. Eles haviam passado os últimos nove anos dizendo a mesma coisa, e ninguém possuía experiência relevante em algo parecido com o que a Schwab fazia. Sabiam falar de médias móveis, explicar como funciona a bolsa, sugerir a compra de ações da Petrobras, contabilizar dividendos da Vale: essa era a sua zona de conforto. A fonte de dinheiro era a taxa de corretagem, mais ou menos fixa, que os clientes pagavam quando operavam via XP. Vender também fundos de renda fixa, CDBs de bancos médios ou títulos públicos parecia, em tese, mais ou menos a mesma coisa que vender ações. Mas não era. Na prática, para fazer aquilo funcionar, seria preciso mudar o DNA da XP.

Para copiar a Schwab, a primeira tarefa era entender direito o que os americanos faziam. Eles mergulharam nos livros do próprio Charles

Schwab e, o mais importante, na biografia *How One Company Beat Wall Street and Reinvented the Brokerage Industry* (Como uma empresa venceu Wall Street e reinventou o mercado de corretoras), escrita por John Kador. Ali, tinham o passo a passo contado de um jeito que alimentava ainda mais suas ambições. Tudo começara com as newsletters educacionais, às quais se seguiu a corretora própria. Só mais de uma década depois surgiria o desafio aos bancos. Olhando de perto, até que as histórias eram parecidas — uma base de educação financeira, a experiência de corretora... De repente, não seria tão difícil assim.

Mark Collier, o ex-presidente da área internacional da Schwab que tinha auxiliado a Actis no processo de auditoria da XP, tornou-se membro do conselho de administração, e seria, a partir dali, uma espécie de tutor da garotada, inspirando o discurso pró-cliente que a XP adotaria dali em diante. Como corretora, a XP não fazia nada diferente dos outros nesse quesito. A grande razão do sucesso da empresa até ali residia na existência dos agentes autônomos, ainda vistos com desconfiança pelo resto do mercado. Mas as taxas eram as mesmas, e os incentivos dos corretores, idênticos ao padrão de mercado. Para que o novo discurso não ficasse no vazio, teriam de ter algo de concreto a oferecer.

Tornar os fundos da própria gestora da XP acessíveis aos clientes da corretora foi um passo óbvio. A *asset* tinha 100 milhões de reais sob gestão, patamar irrelevante diante do volume que já passava pelas mesas de operações da XP. Para tentar ganhar volume, Glitz implementou na gestora uma estratégia chamada "Por Conta e Ordem" — com a mesma conta da corretora, o cliente podia aplicar em fundos da gestora, sem ter que percorrer dois caminhos diferentes. Na prática, a mudança colocou a gestora, até então um filho abandonado, no centro do modelo da empresa. Foi um piloto para o que viria depois: aí, sim, seria possível atrair gestoras de fora, interessadas em oferecer seus fundos para os clientes da XP. As primeiras foram SulAmérica e BNP Paribas.

A chave para que o "shopping" ganhasse alguma tração e o discurso se fortalecesse seria oferecer produtos melhores do que aqueles encontrados pelos simples mortais em seus bancos. Curiosamente, um incauto que acabou ajudando foi o Banco do Brasil, que fechou uma parceria para oferecer seus CDBs com 100% de retorno do CDI aos clientes da XP. Era uma excelente taxa, já que ninguém em sã consciência espera que o Banco do Brasil dê calote (instituições vistas como menos seguras tendem a pagar mais em seus CDBs, que são instrumentos de financiamento dos bancos; líderes como o Itaú ou o Banco do Brasil dificilmente oferecem 100% do CDI a clientes com pouco dinheiro). Mas a oferta mostrou a falta de preparo do banco estatal para entender a função de uma recém-criada plataforma como a da XP. Foi um alvoroço semanas depois, quando correntistas do banco começaram a reclamar que, para eles, o retorno oferecido pelo banco era menor, de 96% do CDI. O contrato com a XP foi suspenso. Da área fracassada de seguros testada na crise financeira, a venda de fundos de previdência privada tinha funcionado e por isso foi mantida.

Para os agentes autônomos — que eram o coração da XP —, a mudança de modelo foi difícil de engolir. Era a terceira guinada em menos de quatro anos. Primeiro, haviam sido contratados como celetistas, depois voltaram a ser autônomos e agora tinham de vender renda fixa para os clientes que só queriam saber se as ações da Petrobras estavam caras ou baratas. Se para Guilherme e a cúpula da XP o jogo de longo prazo estava claro, para os agentes tudo que importava era o curto prazo. Outros produtos rendiam uma miséria para eles — talvez 0,2% ao ano —, enquanto a compra e venda de ações dava uma receita de 0,5% a cada operação. Não era simples entender por que deveriam perder tempo com aquilo: por que deixar de ser corretor de bolsa para se transformar em assessor de investimentos se estava dando tudo certo? Em 2011, a XP já tinha uma rede de 215 escritórios em 102 cidades, e eles estavam felizes com o crescimento da empresa até ali. Mantê-los a bordo era fundamental para que o projeto Schwab tivesse alguma chance de dar certo.

Foi por isso que, a partir dali, Benchimol começou a aparecer na imprensa dia sim, dia não. Era importante vender o sonho, mesmo que ainda faltasse tudo para executá-lo. Três meses depois do aporte da Actis, a XP já estava nas páginas da revista *Exame* dizendo que faria o primeiro shopping financeiro do país e, logo depois, uma abertura de capital na Bovespa (o IPO não era levado a sério, mas o suposto plano era usado como ferramenta de atração e retenção de agentes autônomos). "Para cima dos bancões" era o título da reportagem. "Com a alta pulverização do mercado, ou você vira caça ou você vira caçador", disse Guilherme à revista. "Nós queremos ser compradores."

O discurso churchilliano servia justamente para estimular a tropa de agentes e evitar que eles abandonassem a XP naquela hora — e também para, aos poucos, ir mudando o perfil dos agentes autônomos, chamando atenção de gerentes de bancos insatisfeitos com a carreira.

Ainda era difícil enxergar no início de 2011, mas as condições do mercado brasileiro tratariam de convencer os agentes autônomos de que aquela mudança era não só importante como necessária. Primeiro, o cenário era crítico para o mercado de ações, seu velho ganha-pão. Após uma alta de 1% em 2010, a bolsa brasileira cairia 18% no ano seguinte. Em 2012, o resultado foi até positivo, mas perdendo feio da renda fixa. Era o longo e tenebroso inverno do governo Dilma Rousseff, período em que as ações brasileiras, acompanhando a economia, cairiam sem parar. O pequeno investidor, assustado, foi abandonando a bolsa. A participação das pessoas físicas na Bovespa, que tinha sido de 30,5% em 2009, cairia para 21,4% em 2011, e continuaria caindo. Grandes empresas brasileiras valiam uma fração do que tinham chegado a valer nos anos de ascensão da XP.

A bolsa brasileira seria um mau negócio por pelo menos seis anos, e as corretoras mergulharam no prejuízo.

Em resposta à crise, o governo Dilma derrubou a taxa de juros na marra, levando-a de 12,5% ao ano para 7,25% entre 2011 e 2012. A combinação de juros baixos e bolsa em queda obrigava quem tinha dinheiro investido no Brasil a se mexer em busca de alternativas. Isso porque, com juros baixos, as taxas de administração altas cobradas em fundos de renda fixa conservadores começam a doer mais, por exemplo. Como esse era o padrão dos grandes bancos, a XP tinha nesse público, de repente, um alvo mais fácil de atingir.

Nas entrevistas que dava, Guilherme repetia alguns números à exaustão. Cerca de 160 bilhões de reais estavam investidos em fundos conservadores de bancos que rendiam ainda menos que a poupança por causa das altas taxas. Didaticamente, ele mostrava as contas. Se reduzissem os gastos com taxas de administração em 1,25 ponto percentual, o investidor acumularia 45% mais capital em trinta anos. Um fundo DI do Bradesco (o HiperFundo) servia como símbolo daquele comodismo dos bancos. O fundo cobrava uma taxa de administração que chegava a 4,5% ao mês, número escandaloso em tempos de juros altos e inexplicável com juros baixos. Mesmo assim, os correntistas do Bradesco deixavam mais de 5 bilhões de reais parados lá. Era um fenômeno brasileiro — fundos que rendem mais para o banco que para o investidor. O Bradesco fidelizava sorteando prêmios diários. Reza a lenda que um assessor da XP identificou uma senhora que tinha cerca de 3 milhões de reais aplicados no HiperFundo. Numa ligação, ele explicou que a investidora estava queimando 81 mil reais por ano só com a excessiva taxa de administração. Ao que ela respondeu:

— Mas eles já me deram três Palios!

Roubar esses investidores do banco não seria mesmo fácil.

Em paralelo, o mundo dos investimentos ia se diversificando. A plataforma aberta da XP abriu espaço para que bancos médios vendessem seus CDBs para os pequenos investidores que deixavam os fundos de renda fixa dos bancões. A expansão dos fundos imobiliários, lastreados em imóveis e com isenção de imposto de renda, criou um mercado de 6,4 bilhões de reais em ofertas em 2011. Outros títulos isentos, como Letras de Crédito Imobiliário e Letras de Crédito Agrícola (LCIs e LCAs), também surgiam como alternativa para os pequenos investidores — com as novas emissões e o apetite dos investidores, os estoques quase dobraram em um ano. Em dois anos, a participação somente desses dois papéis triplicou nas tesourarias de bancos, de 10% para 30% das carteiras. Finalmente, o Tesouro Direto, plataforma de negociação de títulos públicos, começou a atrair mais investidores, assustados com a perda na renda variável naquele ano. A captação foi a maior desde 2003, com mais de 60 mil novos aplicadores.

O passo seguinte foi a criação de uma feira nos moldes daquela em que haviam sido apresentados à Schwab, um ano antes. Seu objetivo seria justamente catequizar os agentes autônomos, mostrando que o mundo dos investimentos era maior que a compra e venda de ações. A tarefa coube a Glitz e Englert, que reservaram o espaço de eventos do hotel Windsor, na Barra da Tijuca. Em 2012, a Expert — como a feira foi batizada — já ganharia mais ambição. Foi realizada em Angra dos Reis e durou três dias. A XP estava tentando acertar o tom e nem sempre conseguia. A dupla contratou um anão e um ator de dois metros para despertar a curiosidade dos assessores em torno do novo fundo da gestora — o long & short, que opera tanto comprando ações (*long*) quanto apostando na queda (*short*). No último dia, a dupla "Long e Short" foi apresentada no palco.

Era um começo meio atabalhoado, mas o shopping financeiro da XP estava nascendo.

Seguindo a cartilha da Schwab, a XP fez uma campanha de marketing copiada desavergonhadamente da gigante americana. "Acorda, Brasil" era o seu mote. Foram investidos 6 milhões de reais na compra de espaço na internet e em aeroportos e a fonte de "inspiração" era o lema "Wake Up, America", da Schwab. Os cartazes eram distribuídos aos agentes autônomos, que usavam a campanha como lema para seus novos cursos — mais generalistas — de educação financeira. Era, disparado, o maior investimento em marketing da história da XP. A corretora já dera um passo meses antes em sua estratégia de comunicação, quando uma corretora de São Paulo, a Gradual, colocara à venda seu site de notícias financeiras voltado para o investidor de varejo, o InfoMoney. A XP viu ali uma oportunidade de falar mais diretamente com o cliente final. A XP já era o maior *home broker* do varejo, mas esses investidores não queriam ouvir falar de outros produtos de renda fixa e fundos de investimento. O InfoMoney foi comprado em setembro de 2011 e a XP colocou 5 milhões de reais num plano para triplicar os 400 mil usuários cadastrados no portal.

Para captar clientes e fazê-los tirar mais dinheiro do banco, a empresa lançou um programa de fidelidade, o Ganhe Mais. Os assessores e clientes que indicassem outros clientes ganhavam pontos que viravam créditos para compra de produtos no Compra Fácil, um site de comércio eletrônico. Em menos de um ano, a XP descobriu que o programa acabava em fraude. Clientes e alguns assessores indicavam todo tipo de parente e os novos clientes abriam suas contas, ganhando os créditos do e-commerce, mas acabavam não fazendo transação alguma. Cada novo cliente captado gerava prejuízo. O programa foi engavetado. O mesmo aconteceu com o projeto XP Universitário, para estimular estudantes a abrir conta na corretora e dar desconto nos cursos da casa — eram nanoclientes, que davam mais trabalho que retorno, e Guilherme mandou "stopar" em seis meses.

Para crescer de uma forma mais razoável em termos financeiros, a XP se aproveitou da má fase do mercado para absorver carteiras de concorrentes. Fundiu em sua plataforma a operação de investidores qualificados — aqueles com mais de 300 mil reais em investimentos — da corretora Interfloat. Anunciou uma associação com a Senso Corretora, em que absorvia a operação da casa, com cerca de quatrocentos fundos e trezentos produtos de renda fixa, aumentando rapidamente o número de produtos de prateleira. Meses depois, fez uma associação com a Prime Corretora, do Rio. A Prime conseguia clientes "private" (ou seja, com mais dinheiro), segmento em que a XP era pouco relevante. Eram apenas quinhentos clientes, mas com 500 milhões de reais sob custódia. Fazia uma baita diferença. Contudo, ainda não resolvia.

O dinheiro da Actis aguçou a cobiça dos sócios da XP, e passou a ser cotidiana a briga por mais espaço na sociedade. O problema é que ninguém ali tinha patrimônio, pois haviam ficado dois anos sem receber sequer salário. E, para comprar mais ações, precisariam de se endividar. No modelo consagrado no Brasil pelo banco Garantia, os sócios mais ricos financiavam os mais novos na hora de comprar ações. Os sócios em ascensão tinham de pagar sua dívida com os bônus que recebiam. E, a menos que saíssem da empresa, eram ricos no papel, sempre correndo atrás para pagar as novas ações que compravam, e pobres na "vida real", pois não sobrava dinheiro para mais nada.

Nesse tipo de sociedade, ninguém jamais está satisfeito, pois o bolo a ser dividido é um só e todos acham que merecem um pedaço maior que o do vizinho. Na XP do início da década, a confusão era grande. Sócios reclamavam que as metas iam ficando mais altas e difíceis de atingir — o que significava não ter bônus, tornando ainda mais difícil o pagamento das dívidas.

À frente do varejo, Glitz se queixava de que merecia uma participação maior.

— Tá, digamos que eu concorde. Você tem dinheiro para pagar? Não tem, eu sei que não tem, já está endividado — dizia Guilherme, que administrava as posições e a alavancagem dos sócios.

Foi nesse ambiente que a sociedade recebeu a notícia da chegada ao time de Paulo Gouvea, um executivo que tinha feito fortuna com o império X de Eike Batista. Gouvea chegou "chegando": negociou uma participação de 4%, o que faria dele o sexto maior sócio da XP. Ele criaria uma área de assessoria a empresas em negócios como fusões, ofertas de ações e emissões de dívida, atividades de mercado de capitais típicas de bancos de investimento. Toda negociação para a introdução de Gouvea tinha sido conduzida por Guilherme, e a maioria só soube quando o fato estava prestes a ser consumado. Diante da chiadeira dos outros sócios, Guilherme acertou com Gouvea a venda inicial de 2,5% — que ele quitou à vista por cerca de R$ 12 milhões. Um ano depois, chegaria a 4%.

Ninguém engoliu aquilo.

— Guilherme, está muito estranha essa história. O cara vai entrar agora numa posição dessas, para uma área que nem existe ainda — disse Carlão, que já era um dos maiores sócios.

— Tocar uma empresa nem sempre é uma ciência exata, às vezes a gente tem que fazer o necessário. O Paulo pagou à vista e a holding precisa desse dinheiro agora — rebateu Guilherme. — Se não entregar, aí é diluído como os outros.

Do ponto de vista de Guilherme e Marcelo (os únicos sócios com algum dinheiro), levar alguém de fora com certo patrimônio representava um alívio. Se tivessem que trocar algum sócio importante, só eles teriam condições de comprar suas ações — e não fazia sentido reinvestir o pouco que tinham conseguido tirar da XP. A entrada de Gouvea ajudaria a financiar um troca-troca na sociedade quando chegasse a hora. E ninguém podia saber quando ela chegaria.

Mas o projeto de Gouvea naufragou em pouco mais de três anos. Tinha atraído investidores para fundos de infraestrutura em meio à forçada queda de taxa juros do governo Dilma – mas, com a reversão da taxa, ficava mais difícil emplacar produtos de maior risco. Com o declínio do grupo X, a imagem do agora sócio da XP perdia junto e, em um mercado fraco para ofertas de ações, era difícil emplacar algo novo nessa área. Os conflitos com os demais sócios aumentaram, bem como a pressão deles sobre sua elevada participação. Com equipe no Rio e foco institucional, começou a ouvir com frequência argumentos sobre falta de sinergia com o time de varejo e geração esporádica de receita. Convocado por Benchimol, foi comunicado que sua fatia, que chegara a quase 5,5%, seria cortada para os 2,5% iniciais e que precisaria se mudar para São Paulo. Pediu as contas. Sua saída da sociedade foi relativamente ruidosa no departamento jurídico. Ele tinha uma preocupação (excessiva, aos olhos dos ex-sócios) sobre o prazo de pagamento da recompra de suas ações, e só aceitou assinar o contrato de saída depois de conferir no aplicativo do banco que a transferência eletrônica tinha caído na conta-corrente.

Ao longo de 2012, quando o shopping financeiro da XP já tinha cara de shopping e não de loja de rua, o crescimento das receitas dos novos produtos começou a acelerar. Até o fim do ano, mais de quatrocentos fundos estariam disponíveis na plataforma, que era vendida por cerca de 1,5 mil agentes autônomos. Naquele ano, os juros despencaram quando o governo Dilma tentou reativar a economia com a sua "Nova Matriz" de política econômica. Com os juros no chão, o dinheiro de investimentos como a caderneta de poupança e os fundos de renda fixa caros simplesmente parou de render.

Ali, a XP já tinha a oferta de produtos mais ou menos pronta — e a demanda, impulsionada pelo ambiente macroeconômico, começou a crescer também. O número de investidores de fundos imobiliários, por exemplo, quase triplicou em 2012. No fim do ano, o shopping representava metade das receitas da XP. Era um resultado fenomenal para uma empresa que, até dois anos antes, dependia 100% das receitas de corretagem de ações.

Copiar a Schwab tinha sido a decisão certa na hora certa.

Aquele novo panorama instigou Guilherme e Marcelo a tentar, a sério, uma abertura de capital ou a venda de mais um pedaço da XP para um fundo. Dessa vez, não apenas para levar capital para a empresa, como no caso da entrada da Actis — mas também para que os próprios fundadores embolsassem um dinheiro que não tinham visto até então. Além disso, os dois achavam que a entrada do fundo britânico fora fundamental para que o novo modelo de negócios desse certo, visto que um sócio estrangeiro passava um nível de credibilidade que os garotos não tinham. Um IPO poderia representar uma nova chancela, a do mercado acionário, o que, por sua vez, arrebanharia mais clientes e faria a XP lucrar mais.

Quem sabe naquele ritmo de crescimento a XP poderia valer 1 bilhão de reais?

Os flertes anteriores com um IPO tinham sido uma decepção. No final de 2011, a XP foi convidada para um evento, promovido pelo banco Itaú em Nova York, em que empresas com potencial para abertura de capital eram apresentadas a investidores. Guilherme, Julio, Maisonnave e Loyola tiveram uma conversa com um representante do bilionário investidor húngaro-americano George Soros. Ao ouvir a apresentação da história da XP, ele vaticinou que já tinha visto mil apresentações parecidas com aquela, em que as projeções maravilhosas não se concretizavam. Tamanho crescimento no Brasil de Dilma? Impossível.

Nos meses seguintes, à medida que os resultados iam melhorando e o lucro crescendo, as conversas sobre uma nova venda de participação voltaram. Um executivo da gestora Sequoia Capital, do Vale do Silício, entrou em contato com Julio. Era David Vélez, um jovem colombiano que buscava oportunidades de negócio para o fundo no Brasil (pouco depois, ele fundaria uma fintech brasileira, o banco digital Nubank). Vélez organizou uma reunião dos sócios da XP com um dos principais executivos da Sequoia, Douglas Leone. Segundo ele, a XP poderia valer 800 milhões de reais.

Mas, com o passar das semanas, a gestora americana baixou sua oferta em 20%. Para a Sequoia, a XP ainda era um negócio imaturo, e o foco da gestora eram empresas ligadas ao mundo da tecnologia. Uma tentativa paralela de negociação foi aberta com a Vinci Partners, gestora brasileira de *private equity* que havia criado uma empresa de investimentos de varejo, a Apogeo. A conversa não avançou.

Guilherme havia deixado as tratativas potenciais de venda de participação da XP nas mãos de Julio e Maisonnave. Mas foi ele quem recebeu o e-mail de um boliviano chamado Martin Escobari, sócio da empresa americana de *private equity* General Atlantic, a GA. Escobari tinha sido um dos fundadores do site Submarino.com. Ao concluir o MBA na Harvard Business School, ganhou o título de Baker Scholar, reservado para os 5% melhores de seu ano. O boliviano deixara a gestora Advent depois de operações de sucesso no mercado financeiro brasileiro, e sua missão na GA era encontrar um bom negócio no segmento para montar seu portfólio. No e-mail, ele pedia uma reunião com Guilherme.

— Julio, atende esse paraguaio pra mim, vê o que ele quer. Não quero perder tempo com isso — disse Guilherme.

A avaliação de Escobari era que o fenômeno da desbancarização no Brasil estava apenas começando. Ele acompanhava as opções de investimento feitas pela esposa na hora de preencher a declaração de imposto de renda, e ela era a típica investidora de bancão: tinha títulos de capitalização, fundos que só investiam em ações da Petrobras e cobravam caro para isso, e por aí vai. Para ele, aquilo podia até não acabar tão cedo, mas a tendência era que plataformas como a XP roubassem cada vez mais clientes dos grandes bancos. Era inevitável. E a XP, com os resultados daqueles dois anos, já era o maior shopping financeiro do país.

Escobari achava, porém, que a XP não estava pronta para o IPO. Faltava ganhar escala, ajustar a estratégia e mudar a equipe para, alguns anos depois, levar uma companhia mais azeitada ao mercado. Ele propôs, então, que a GA substituísse o possível IPO da XP, avaliando a empresa em mais de 1 bilhão de reais. O lucro projetado para 2012 (inferior a 40 milhões de reais) não justificaria aquele valor — mantido o múltiplo da transação da Actis, a XP valeria, no fim de 2012, cerca de 800 milhões de reais. Mas Guilherme garantia que o lucro cresceria para 70 milhões de reais em 2013. Escobari queria tanto embarcar naquela canoa que topou fazer uma proposta que avaliasse a XP no patamar de 1,2 bilhão de reais. Em troca, colocaria no contrato que a XP estava obrigada a atingir aquelas projeções de lucro ou os vendedores não receberiam parte do pagamento, correspondente a 10% do total. A GA compraria parte das ações dos executivos da XP, da fatia da Actis, e faria um aporte no caixa.

Mas as ambições da Actis acerca do preço justo para a XP eram ainda mais largas. Com um fundo gigantesco do outro lado da mesa, Chu Kong batia pé e dizia que, se a avaliação da XP fosse inferior a 1,5 bilhão de reais, vetaria a transação — ou seja, o triplo do valor de dois anos antes. Também rechaçava aquela proposta de condicionamento de preço ao resultado, queria um valor fixo.

Os sócios da XP estavam incomodados com essas imposições. No entanto, como o gestor de Soros já tinha percebido, os números dos últimos dois meses estavam piores e, para a XP, era arriscado demais arrastar essa negociação — se os resultados não melhorassem, o preço iria ladeira abaixo ao final das conversações. Para fazer a coisa andar, e como confiavam no tal lucrão de 2013, os sócios toparam o tratamento desigual. Os executivos da XP ficavam com a parte variável da negociação, enquanto a Actis levava um valor fixo de cara e a GA aceitava melhorar um pouco o preço — numa avaliação entre a sua proposta inicial e o valor pedido pela Actis.

A venda para a GA era mais complexa do que para o negócio com a Actis. Até então o Banco Central não tinha aprovado a operação do fundo britânico, embora o decreto presidencial que dava o sinal verde para o negócio tivesse saído meses antes. Para os advogados e sócios, já que ainda havia o processo de aprovação em andamento no Banco Central, o ideal seria anexar a transação da GA no mesmo documento, para que fossem avaliadas conjuntamente. Chu, que não queria colocar em risco a aprovação de uma operação sua, não deixou a ideia prosperar.

A GA também não podia comprar ações, então houve uma reformulação societária da XP para que fossem emitidas novas debêntures das controladas não financeiras e um bônus de subscrição da holding controladora, que era parte do dinheiro que os sócios colocariam no bolso. Além disso, a GA compraria parte das debêntures detidas pela Actis.

Em dezembro de 2012, a XP finalmente fechou a venda de 31% para a GA por 420 milhões de reais. A transação avaliava a XP em 1,23 bilhão de reais, mas, como haveria uma injeção de 150 milhões de reais no capital da XP, o valor da empresa (conhecido como valor *post-money*, ou depois do investimento) passaria para 1,38 bilhão de reais. Da fatia de 31%, 10% foram vendidos pela Actis e 21% pela XP. A participação dos sócios executivos caía de 79,5% para 58,9% da empresa. A Dynamo, de Pedro Damasceno, acompanhava a companhia desde os primórdios e finalmente comprou uma participação em coinvestimento com a GA. Entre os investidores do fundo Dynamo, estava Carlos Alberto Sicupira, um dos fundadores da 3G Capital, sócio de Lemann.

Na operação, a Actis embolsou tudo o que tinha investido dois anos antes e ainda manteve metade da participação original. O aporte da GA no caixa se deu por diluição dos sócios com emissão de novas ações e uma parcela da venda de participação dos executivos principais. Outros sócios aproveitaram a operação para comprar um pouco mais de ações, como Carlão, da mesa institucional, e Fabrício, que tinha trocado o escritório BMA pelo departamento jurídico da XP.

A venda para a General Atlantic foi o prenúncio de um período de mudanças drásticas na sociedade. O ano de 2013 seria duro, já que eles teriam de dar o sangue para atingir a meta de 70 milhões de reais de lucro. O senso de urgência seria a oportunidade para que Guilherme aprofundasse as mudanças que já estava começando a fazer no perfil da XP. A cúpula da empresa era basicamente a mesma desde os primórdios. Gente que tinha ajudado a construir aquela história, mas, que, para ele, não atendia às necessidades da empresa bilionária em que a XP havia se transformado.

O clube de amigos precisaria acabar.

9
O FIM DO CLUBE DOS AMIGOS

No início da década de 2010, Guilherme Benchimol começou a sentir o peso dos anos de XP. Aquele foi um longo período de dedicação 24 horas por dia à empresa, o único assunto de sua vida. Ele não lia, quase não via filmes e quando viajava de férias sentia que estava perdendo tempo. Em 2011, foi à Toscana "relaxar" com os sócios alguns meses depois da venda da participação à Actis, mas ficou tão mal-humorado que achou a região idêntica ao Vale dos Vinhedos, na serra gaúcha. Em casa, com a mulher e sócia, Ana Clara, as dificuldades e os sucessos da XP eram o tema das conversas no início e no fim do dia. À medida que a empresa crescia, passava o medo de quebrar que o apavorara nos primeiros dez anos e começava a surgir a sensação de que a XP estava muito aquém do seu potencial.

Guilherme, que sempre havia feito o estilo atleta, engordou quase quinze quilos. Ele tinha a sensação de que era obrigado a trabalhar por ele e pelos outros sócios — e sua insatisfação com o desempenho de seus subordinados diretos foi ficando evidente.

O acúmulo de tensão, inevitavelmente, causaria um terremoto na sociedade.

A cara da XP como sociedade já começara a mudar em 2009. Quando Ana e Guilherme tiveram Clara, a primeira filha do casal, Ana passou seis meses de licença-maternidade. Guilherme, que temia ser visto como o chefe que protegia a própria mulher, chamou-a para uma conversa.

— Ana, você não bateu a meta. Vai ser diluída.

— Mas como eu ia bater a meta se fiquei longe da empresa por seis meses? Ninguém falou que eu não podia ter filho!

Ana, que naquele momento possuía 6,5% das ações, foi diluída e passou a deter uma participação de 5,5%. Para os sócios, Guilherme apenas comunicou que o percentual seria reduzido porque Ana não tinha cumprido sua meta e que, no ano seguinte, as contas poderiam ser refeitas, conforme valia para todos os sócios. Ele não queria ouvir nenhuma insinuação de que havia flexibilizado porque ela era sua esposa.

Ana, protagonista da história da XP desde o início, voltou a trabalhar sentindo-se menos sócia e mais funcionária. A decisão de diluição tinha lhe caído como um balde de água fria. Além disso, carregava o dilema natural da maternidade: a vontade de estar perto da filha, de acompanhar passo a passo seu desenvolvimento. Um ano depois, veio a segunda filha, Antônia. Ao fim da licença, Ana decidiu deixar a XP.

Ela começou a vender suas ações até que, em 2012, já não era sócia. Aquele período causaria um baque na vida do casal. A XP, afinal, sempre tinha representado um vínculo entre Guilherme e Ana, e o estresse em torno da avaliação da companhia fez com que se separassem em 2011 — para reatar um ano depois.

• • •

NADA IRRITAVA MAIS Guilherme do que a percepção de que seus sócios não levavam a XP tão a sério quanto ele. Nos primeiros anos, época em que tudo era tocado de forma amadora, aquela atitude severa do chefe era levada quase na brincadeira. Em 2006, quando o Internacional foi campeão do Mundial de Clubes, metade do escritório em Porto Alegre se "esqueceu" de aparecer na XP de manhã após uma noitada de comemorações. Quando soube, Guilherme ficou furioso e mandou Julio acordar todo mundo.

Cinco anos depois, com a XP avaliada em centenas de milhões de reais, aquele jeitão de jardim de infância era inaceitável.

E Guilherme sabia que teria de mudar também. Era uma questão de sobrevivência. Se quisesse ser o executor o tempo todo, teria de ter um negócio pequeno. A empresa, que em 2001 gerava menos de 100 mil reais de receita por ano, faturou 200 milhões de reais dez anos depois. Mas pouco mudara em sua equipe e em seus processos. Guilherme começou a ler livros sobre liderança e gestão, dedicando tempo especialmente às lições do consultor Vicente Falconi. Seu hábito de se meter em todas as áreas, realizando o trabalho dos outros, fazia com que liderasse pelo exemplo, mas isso era insustentável numa empresa grande. Do jeito que estava, quem era ruim se escondia e quem era bom não conseguia brilhar. Guilherme estava prestes a pifar — no entanto, primeiro precisava mudar as pessoas.

No processo, quase toda a cúpula da XP seria trocada.

Foi uma fase em que as críticas internas ao estilo de Guilherme, feitas sobretudo por quem estava em rota de colisão com ele, ganharam força. Ele se encantava por novos sócios, diziam, para depois se desencantar. Entrava e saía de novos negócios com uma velocidade desnorteante (como aconteceu com a área de mercado de capitais de Paulo Gouvea, que saiu de "tudo de bom" para "tudo de ruim" em pouco mais de dois anos). O argumento de Guilherme sempre foi a necessidade de um "stop" rápido em projetos que dão errado. Os sócios que deixaram a XP nessa fase descrevem um chefe cada vez mais centralizador, menos disposto a convencer e mais propenso a mandar. "Eu erro muito, mas acerto mais do que a média", costumava dizer quando confrontado.

Guilherme reforçaria, ali, traços da cultura XP que permaneceriam ao longo dos anos — cultura que, na prática, era reflexo de seus próprios valores. Ele não tomava vinhos caros, não voava de helicóptero, não colecionava obras de arte, não tinha vida de rico. Só começou a voar na classe executiva nas férias com a família muitos anos depois, quando já tinha um patrimônio de centenas de milhões de reais. Também exigia que os demais agissem assim, ao menos em público. Se o dinheiro começava a entrar e os sócios se sentiam ricos, ele pregava a humildade. E, como se matava de trabalhar, esperava o mesmo dos outros — todos deveriam compartilhar a tal "dor de dono". Era uma forma, ele pensava, de selecionar aqueles que compartilhavam seu "sonho grande". Sócios que pensassem desse jeito iriam com ele até o final. Quem queria simplesmente ganhar dinheiro ou demonstrasse a mínima falta de compromisso ficaria pelo caminho.

A primeira vítima desse choque foi Fernando Wallau, o quinto sócio da empresa. Ele era responsável pelo treinamento dos agentes autônomos e vinha se desentendendo com Guilherme sobre a forma de fazer isso em maior escala. Guilherme queria que os treinamentos fossem on-line, enquanto Wallau defendia o modelo presencial. A reunião de sócios mais importante da XP era (e ainda é) realizada todas as terças-feiras às sete e meia da manhã. Guilherme detesta atrasos. Em uma das reuniões, Wallau chegou mais de vinte minutos depois da hora marcada, justificando que estava sem água quente em casa para tomar banho. Todos riram da piada, menos Guilherme. Wallau acabou saindo da empresa em setembro de 2010.

Em 2011, Alexandre Marchetti e Henrique Loyola, dois sócios que tinham, juntos, cerca de 15% de participação na empresa, entraram na mira. Loyola, que em 2007 assumira 10% das ações em troca dos clientes de sua corretora, a Manchester, era ainda mais jovem que os jovens sócios da XP — na definição de alguns deles, ele entrara "por cima", enquanto os demais custaram a conseguir cada décimo da participação acionária que tinham. Loyola havia levado clientes e amarrado a primeira transação da XP com um fundo de *private equity*. Em 2011, ele era responsável pela área de renda fixa da empresa e Guilherme cobrava resultados melhores e questionava suas estratégias. Incomodado, Loyola começou a sentir que a XP estava virando uma empresa de "dono". Ele esperou a negociação com a General Atlantic e vendeu suas ações logo após a conclusão da transação.

Responsável pelo *back office*, Marchetti tinha ido para a XP com o sócio Xoulee, que agora cuidava da área de expansão dos escritórios de agentes autônomos e, viajando Brasil afora, pouco parava na sede da empresa. Cada um entrara com 7,5% de participação. Essas participações sofriam alteração com o tempo, uma vez que a entrada de novos sócios levava à diluição parcial dos antigos. Benchimol achava que Marchetti tinha participação grande demais para a função e queria distribuir parte das suas ações. Os sócios começaram a entender também, dali por diante, que ter uma participação relevante era viver sob risco — a menos que entregassem muito mais do que era esperado de resultado.

Guilherme comunicou a Marchetti que ele seria diluído em 50%, uma vez que outras áreas da empresa davam resultados maiores. Em *partnerships* como a XP, esse tipo de decisão equivale a transformar um sócio num morto-vivo. Quem leva uma diluição desse tamanho passa a ser visto pelos demais como alguém em declínio, fadado a ir embora.

Amigos se afastam e outros sócios passam a ficar de olho na participação remanescente. Quem é diluído se sente desestimulado. Cria-se um clima tóxico e quase sempre o próprio sócio decide se antecipar e pede as contas.

Marchetti já tinha visto isso acontecer com outros sócios e não estava disposto a ser colocado de lado. Para ele, a entrada de novos sócios gerara na XP uma certa politicagem corporativa que não existia antes — como concordar com opiniões dos chefes para evitar enfrentamentos. Mesmo com sócios mais antigos, Marchetti começara a se desentender. Glitz ganhara espaço relevante na companhia e ambos travaram uma discussão acalorada um ano antes por conta de jogos da Copa do Mundo, que aconteceria na África do Sul.

— Tem que liberar pra galera assistir na TV, senão vai ficar todo mundo pendurado no celular ou no computador assistindo e vai sobrecarregar nossa rede de internet — defendeu Marchetti.

— Isso é um absurdo! A gente não pode incentivar o cara a parar de trabalhar pra ver TV, você está totalmente desalinhado com a empresa — rebateu Glitz.

Não demoraria muito para que os dois se confrontassem de novo. Glitz tinha implementado em sua equipe um grito de guerra nos moldes do que o Walmart, seu empregador anterior, fazia com seus vendedores. Nas reuniões de segunda-feira, a turma cantava algo como "XP é? Motivação. XP é? Atitude". Agora, ele queria implementar o grito em toda a companhia — inclusive nas mesas de operação e no *back office* de Marchetti, que não achou a menor graça na história.

Para os outros sócios, a avaliação era que Marchetti se desconectara da empresa. Ele havia comprado uma lancha, uma casa em Angra dos Reis, começado a fazer postagens em redes sociais e acabara ganhando o apelido de "Marchetti tem" — já que ele parecia ter tudo. Acabou saindo um ano depois.

Xoulee ficou desconfortável com a saída do amigo. Ele mesmo já tinha sido alvo da patrulha da discrição. Quando estava recém-separado, comprou um Porsche a prestações em plena crise financeira e levou uma chamada de Julio. Para minimizar o estrago, parava o automóvel na vaga mais distante possível da XP, mas no fim das contas se desfez do carrão. Bateu de frente com os principais sócios quando Gabriel passou a entrar também na negociação direta com escritórios de agentes autônomos. Não gostou da disputa em seu território e pediu o boné. Bruno de Paoli, que tocava o InfoMoney, foi desligado. Seu sucessor no portal, Pedro Englert, desentendeu-se com Guilherme sobre a política editorial do site. Englert deixou a empresa após uma discussão acalorada na reunião da manhã.

Rossano Oltramari, o gaúcho que chegou a estrelar as campanhas publicitárias da XP, começou a perder espaço em 2013. Realocado em diversas áreas, sua performance não agradava mais na mesma medida de sua participação de 3,8%. Ele chefiava a área de análise, e, quando foi trocado de lugar, passou meses sem espaço. Julio comunicou a ele que sua participação cairia para 1,5%. Rossano rodava o país em palestras, dava entrevistas em nome da XP, virou colunista do InfoMoney, mas já antevia o fim, que chegaria em dezembro de 2014.

Já com sua sede num escritório de quase mil metros quadrados na Barra da Tijuca e 750 funcionários espalhados por várias cidades, a XP começava a buscar mais sócios do mercado financeiro "tradicional". Uma equipe de operadores de mesa saiu do Credit Suisse. Patrick O'Grady, ex-sócio do banco Pactual, assumiu a *asset* da XP no Rio. Entre as frentes de crescimento naquele momento estavam os ativos ligados ao mercado imobiliário, comandados por Rodrigo Machado, executivo com experiência de anos na área. Machado chefiava na capital paulista a Brazilian Mortgages, maior securitizadora de créditos imobiliários do país, que pertencia ao grupo Ourinvest. Ele tinha participado do projeto BM Sua Casa, do Ourinvest, que consistia na abertura de lojas de rua para dar crédito mais barato tomando o imóvel como garantia — crédito conhecido como *home equity*. Naquele *boom* de interesse imobiliário, a crença da XP era que o *home equity* explodiria de vendas na plataforma, tal como os fundos imobiliários. A XP criou uma empresa para dar crédito, a Novi, que era tocada diretamente por outro sócio, Luiz Pedro Albornoz. Mas o produto era complexo demais para ser vendido na plataforma, e, passado um ano, Guilherme resolveu "stopar". A Novi foi cindida e virou um negócio de Albornoz.

Escobari, da GA, acrescentava senso de urgência às mudanças. Nas reuniões de conselho, ele repetia que a XP tinha de entrar em "velocidade de escape" — referência à velocidade mínima que um objeto precisa alcançar para sair de um campo gravitacional. A GA começou a colocar seus indicados para melhorar controles internos, o *back office* e a definição de perfil de clientes para cada produto. Enquanto mexia nos bastidores, Escobari queria os sócios executivos focados no ataque.

Na lista de frentes de expansão estava a ideia de montar escritórios no exterior para aumentar o volume de operações da mesa internacional e abrir caminho para buscar mais clientes endinheirados — de grandes bancos estrangeiros como Credit Suisse e UBS ou de bancos brasileiros como Itaú e BTG, que já tinham uma estrutura global.

A XP abrira um escritório em Nova York, mas o negócio não engatava e era fonte de despesas. Maisonnave comandava a área institucional desde 2010, já no escritório de São Paulo, e a operação de Nova York estava sob seu guarda-chuva.

Guilherme estava irritado com a falta de resultados e decidiu, naquele seu velho estilo, que ele mesmo resolveria o problema. Num movimento com contornos bizarros, visto que era o líder supremo e responsável pela empresa inteira, Benchimol fez as malas e passou quase dois meses em Nova York para colocar o escritório na trilha que queria. Os sócios chamavam esse tipo de atitude de "intervenção" — se havia intervenção de Guilherme no seu departamento, sua batata estava assando. O departamento financeiro tinha acabado de passar por isso. Benchimol queria cortar custos de fornecedores e ouvia que não havia como rever contratos assinados. Ele se sentou numa cadeira do departamento e passou duas tardes ligando para fornecedores e dizendo que não ia pagar se não se sentassem para discutir os termos. Negociou até compra de papel-ofício.

Mas a intervenção em Nova York era mais grave. Mostrava que havia uma bomba prestes a explodir na XP: o embate dos cofundadores, Benchimol e Maisonnave.

Sócios havia doze anos, eles eram diferentes em tudo. Maisonnave era detalhista, cauteloso, cioso da própria imagem. Benchimol era ansioso, intenso, fazedor, atirava primeiro e perguntava depois. Entretanto, desde o primeiro dia, era ele o líder natural da empresa, o que já ficara claro na divisão 60-40 com a qual Marcelo concordara quando os dois ainda estavam no escritório da corretora Diferencial. Com estilos complementares, aquela dupla — um jogando no ataque, outro na defesa — tinha funcionado bem por ao menos uma década.

Até que parou de funcionar.

Desde 2010, Marcelo ficara mais longe do centro de poder com sua ida para São Paulo. Guilherme estava sempre no escritório paulista, mas a frequência de Marcelo no Rio era bem menor. Julio tinha assumido a diretoria financeira da XP e ganhado força ao costurar as negociações com a Actis e a General Atlantic. Em 2012, embora tivesse menos ações que Marcelo, ele era, na prática, o segundo na hierarquia.

Para a equipe do escritório do Rio, Marcelo era uma espécie de rainha da Inglaterra — tinha o cargo, mas não o poder de fato. E esse tipo de situação é insuportável numa *partnership* em que um quer ter as ações do outro. Um sócio importante simplesmente não pode ser visto desse jeito.

A ida para São Paulo havia criado uma situação nova para Marcelo. Ele sempre tinha sido o sujeito que arrumava a casa, cuidava do relacionamento com as instituições e a rede de agentes autônomos. Eram seus pontos fortes. Mas a empresa ficara grande demais e ele assumiu, pela primeira vez, uma área "de negócio". Guilherme passou a se irritar com o que via como incapacidade de tomada de decisão do sócio. Subordinados de Marcelo iam até o Rio para reclamar do chefe. A situação chegou a ponto de Guilherme aproveitar as férias de Marcelo para ir a São Paulo fazer trocas na equipe.

Carlão, subordinado de Marcelo na mesa institucional de São Paulo, pedia uma participação maior. Ele entendia que estava entregando mais do que o chefe, e que a supervisão dele não tinha impacto positivo algum nos resultados. Outro sócio de São Paulo, que saíra igualmente da Hedging-Griffo anos antes, também crescia. Daniel Lemos assumira a diretoria de produtos e ficava em contato direto com empresas emissoras e grandes clientes. Guilherme e Julio diziam, entre si, que Marcelo parecia estar jogando "fora de posição", um zagueiro escalado como centroavante.

Os fundadores tiveram várias conversas duras. Guilherme alertava que a coisa não estava funcionando e que o sócio perdia autoridade a cada dia. As reuniões semanais se tornaram carregadas. Os confrontos entre um e outro passaram a ser uma constante. A XP começava a negociar a compra de uma corretora concorrente, e Marcelo discordava da estratégia. Guilherme, por outro lado, rebatia os argumentos que viessem do sócio. O clima de embate estava claro para os principais executivos, que já tinham acompanhado alguns desses processos. Mas com Marcelo era mais complicado. Afinal, ele também tinha feito aquilo tudo acontecer, e, por um longo tempo, a parceria com Guilherme fora afinada. A vida de ambos se desenvolvera quase como uma só no que dizia respeito aos relacionamentos pessoais. Um era padrinho de casamento do outro e também entregaram seus filhos um ao outro nos batizados. Saíam para jantar com frequência, as mulheres eram amigas, viajavam juntos e se reuniam em datas comemorativas.

O caldo entornou de vez em 2013, quando Carlão assumiu a área institucional em São Paulo. Estava sedento por mais ações, dada a relevância que ganhava no negócio. No fim do ano, Guilherme e Julio começaram a conversar sobre a recomposição das participações acionárias e deslocaram Marcelo para uma operação incompatível com seu tamanho na sociedade — seria responsável pela supervisão dos escritórios de agentes autônomos. Depois de um jantar, bateram o martelo: era preciso diluí-lo e tinham de informá-lo disso.

Marcelo tinha 13% da XP, e Guilherme e Julio o chamaram para propor um *downgrade*. A proposta era reduzir Marcelo, inicialmente, para 8%. Revoltado, ele não aceitou. A atitude inflexível deixou Guilherme e Julio inconformados. Se a participação de Marcelo não diminuísse, pensavam, qualquer discurso sobre a importância da meritocracia na XP seria visto como hipócrita, pois não valeria para todos. Um choque passou a ser inevitável.

Guilherme, então, sugeriu que um dos fundadores teria de deixar a empresa — ou ele ou Marcelo. Era uma proposta mais retórica do que prática, e os dois sabiam disso. Em 2014, era inconcebível que Guilherme saísse da empresa, e Marcelo não tinha aliados internos dispostos a comprar essa briga. O desgaste durou mais de seis meses. Maisonnave chegou a procurar advogados para estudar uma briga judicial, mas desistiu.

Não havia mais clima para continuar. Após uma conversa final com Guilherme na Barra, ele decidiu vender suas ações em maio de 2014.

Marcelo partiu para um sabático com cerca de 120 milhões de reais no bolso.

Ele e Guilherme nunca mais tiveram contato.

• • •

EM PARALELO À complexa saída de Marcelo, Guilherme e Julio negociavam a compra da corretora Clear. Fundada em 2012 por um grupo de executivos liderado por Roberto Lee e Paolo Mason, ambos saídos da Ágora, a Clear vinha se destacando por seu perfil tecnológico. Era uma corretora dedicada a clientes que operavam pesado — e, para eles, qualquer centésimo de segundo a menos na execução de uma ordem fazia uma baita diferença.

Tecnologia era uma questão sensível para a XP. Com a entrada de Sergio Cardoso do Grupo CMA na XP logo após a compra da Americainvest, a corretora tinha desenvolvido internamente seu sistema. Em um episódio bizarro, a CMA acusou a XP de copiar seu modelo e fez uma queixa-crime. Cardoso tinha, na verdade, criado um novo modelo, mais adaptado às transações de varejo. Novos investimentos foram feitos, mas, à medida que a XP crescia e o volume de operações aumentava, o sistema caía com o excesso de demanda. Seguia-se uma tarde infernal para os operadores, ouvindo todo tipo de palavrão de clientes e agentes autônomos e tentando executar ordens pelo telefone. Encontrar um alvo que fosse uma referência em tecnologia seria um alento.

Com uma carteira de 6,5 mil investidores e abrindo quinze contas por dia, a Clear se destacava. A negociação com a corretora deu à XP uma ideia. Aquela era uma oportunidade de fazer da XP uma operação "multimarca". Tendo várias corretoras sob um mesmo chapéu, a empresa poderia obter as sinergias de custos com a fusão das operações, mas mantendo políticas de preços e ofertas de serviços diferentes para clientes de perfis diferentes. Claro, a aquisição seria também uma forma de evitar que um concorrente o fizesse.

O negócio foi fechado em julho por 90 milhões de reais, metade em dinheiro, metade em ações. Lee e Mason se tornariam acionistas da

XP e continuariam na operação — alguns meses depois, Lee assumiu a área de tecnologia de toda a XP.

O anúncio da compra da Clear deu ao mercado uma impressão errada do momento da companhia. A XP faturava 400 milhões de reais, tinha 80 mil clientes e 12 bilhões de reais sob custódia. Além disso, estava comprando um concorrente. Tudo parecia estar bem.

Mas o ano de 2014 foi o pior da história da empresa. A tensão causada pela saída de Marcelo tornou o clima pesado, sobretudo em São Paulo. O principal motivo, no entanto, foi financeiro. Pela primeira vez em seus treze anos, a XP teve uma queda de lucro, e uma queda importante.

Já em 2013 não tinham cumprido a meta estabelecida no acordo com a General Atlantic. O lucro foi de 68 milhões de reais, 2 milhões a menos que o estipulado. Cumprir a meta era necessário para que os sócios recebessem cerca de 25 milhões de reais referentes ao *earn-out* combinado com a GA. E boa parte desse dinheiro referia-se à venda das ações que possuíam, ou seja, dependiam do *earn-out* para embolsar alguma grana da transação.

— Martin, a gente não bateu a meta, mas deu o sangue, ralou para cacete, a gente merece isso.

— Se você tivesse batido a meta por acaso, por sorte, eu não ia te ligar e falar que não ia pagar porque era sorte. Não rola, Guilherme, o contrato é claro.

— Pô, Martin, ajuda a gente, cara. Eu te garanto que no ano que vem o número vai ser muito melhor. A gente tá na virada desse negócio.

Martin Escobari, após muita insistência, decidiu dar uma colher de chá e pagou o que tinha combinado. O boliviano estabeleceu ali um incentivo de médio prazo. Em dois anos, a XP teria que dobrar aquele resultado não alcançado e lucrar 140 milhões de reais. Escobari pagaria uma caixa de Vega Sicilia, o melhor vinho da Espanha (safra 1998), a

Guilherme e Julio caso cumprissem o retorno estabelecido. Caso contrário, eles pagariam os vinhos a Escobari.

Em 2014, o negócio degringolou. Preparada para uma fase de crescimento acelerado, a XP inchou. Num período marcado pela turbulência eleitoral e pela depressão econômica, os resultados não apareceram. Os custos altos pesaram, e o lucro da empresa foi de 43 milhões de reais, uma queda de pouco mais de 35%. Pela primeira vez na história da XP, o lucro caía de um ano para outro. A meta era um lucro de 110 milhões de reais, o que deu ao resultado obtido cara de vexame. Após tantos anos de crescimento sem parar, aquele revés foi um trauma — será que a XP tinha perdido a mágica?

Para Guilherme, era um fim de ano amargo. Ele tinha forçado a saída de sócios, gente que ajudara a levar a empresa até ali. Eram também seus amigos, e eles se afastaram. Para completar, pela primeira vez em muito tempo os custos pareciam ter saído de controle, e a XP, que só crescia, tivera aquele resultado péssimo.

Contudo, se era amargo, aquele fim de ano trazia um alívio. A XP entrava em 2015 com uma agenda clara de redução de despesas e sem sócios que, na visão dele, atrapalhavam. Havia sido uma fase dura, mas o clube dos amigos tivera de morrer para que a XP mudasse de patamar.

Ninguém poderia imaginar que, das cinzas de 2014, a XP renasceria do jeito que renasceu a partir dali.

10
VELOCIDADE DE ESCAPE

Após a saída de Marcelo, Guilherme decidiu que era hora de se mudar para São Paulo. Ficar no Rio parecia justificar a visão de que a XP não jogava na primeira divisão do mercado brasileiro. Ninguém, àquela altura, tinha dúvidas de que era em São Paulo que as coisas aconteciam.

Ele alugou dois andares num luxuoso prédio de escritórios na avenida Brigadeiro Faria Lima, a "Wall Street" brasileira. A sede da XP seria ali, em meio aos maiores bancos de investimento do país.

Guilherme estava de volta com Ana Clara, e a vida estava boa numa cobertura na Barra da Tijuca em frente à XP. Bem a seu estilo, o passatempo do casal era tirar férias para fazer corridas de aventura. Realizadas em montanhas e trilhas, essas corridas eram feitas em percursos de cerca de cem quilômetros. Guilherme percorreu os quase 120 quilômetros da famosa ultramaratona de Mont Blanc, na França, três anos seguidos, até conseguir concluí-la em 26 horas — sua meta. Mas, talvez na mais importante das "intervenções" de sua vida, ele sentia que precisava estar em São Paulo para fazer a XP dar um salto.

Instalou-se sozinho num flat na capital paulista. Como sempre fizera, escolheu morar a poucos metros da XP para não perder tempo. A família ficou no Rio, e ele ia para São Paulo às segundas e voltava no fim de semana. Longe de casa, mergulharia ainda mais no trabalho. Nos dois anos seguintes, não conheceu restaurantes, não socializou, não entrou para confrarias de vinho, não se integrou à elite paulistana, não foi a inaugurações, exposições. Almoçava e jantava ou no escritório ou no restaurante Ráscal, um bufê de saladas e massas instalado a alguns metros da XP. Acordava cedo, corria no Ibirapuera, voltava e às oito da manhã estava no escritório, de onde saía à noite.

A ida para São Paulo acalmou a disputa entre cariocas e paulistas que havia alimentado o racha entre Guilherme e Marcelo. Com o mandachuva em São Paulo, pela primeira vez em muito tempo a XP passou a funcionar como uma empresa só.

Guilherme enfrentou o vexame de 2014 dobrando a aposta. Sugeriu ao conselho de administração que a meta de lucro de 2015 fosse estabelecida tendo como base o resultado não obtido no ano anterior. A meta não batida tinha sido um lucro de 110 milhões de reais. Guilherme propôs que a meta de 2015 fosse um lucro de 140 milhões de reais, exatamente aquele sugerido na aposta do Vega Sicilia com Escobari. Ou seja, três vezes mais que o resultado de 2014.

Justificava aquela meta com uma de suas frases favoritas — é matar ou morrer.

Na capital paulista, Guilherme sentia mais uma vez a necessidade de vencer preconceitos. Tinha sido assim em Porto Alegre, quando as corretoras gaúchas desprezavam aqueles garotos doidos e seus agentes autônomos. Tinha sido assim no Rio. E, em São Paulo, mesmo com a XP já valendo mais de 1 bilhão de reais, a elite financeira não conseguia esconder seu desdém em relação à empresa.

Esse desdém surgia em pequenas manifestações. Um dono de corretora (da turma do charuto) perguntava, a cada vez que encontrava Guilherme, quem era ele mesmo. Na reunião da Ancord, a associação das maiores corretoras do país que tinha sido rebatizada (chamava-se Ancor anteriormente), havia lugar à mesa para todos, menos para ele.

Para Guilherme, aquilo era outra razão para acordar mais cedo que os outros.

Ainda em 2015, o modelo baseado nos agentes autônomos era visto pelo establishment como uma bomba-relógio. Os críticos afirmavam que era impossível controlar a qualidade do serviço daquele povo todo, já que eram "independentes". Em 2014, o caso de um investidor que teve de ser ressarcido em 55 mil reais pela XP por ter recebido recomendações furadas de um agente autônomo foi fartamente explorado. A verdade é que, de fato, a XP começava a ficar grande demais para não controlar de forma mais eficiente a relação de seus agentes com os clientes finais. Começou a fazer pesquisas de satisfação com clientes e excluiu quase cem escritórios da base em um ano.

Outra crítica ao modelo referia-se ao potencial conflito de interesses de um agente autônomo. Se um cliente investe num determinado fundo, a gestora daquele fundo paga aquilo que se chama "rebate" para o agente autônomo. Ou seja, pode ser do seu interesse vender o fundo que paga o maior "rebate" e não aquele mais indicado para o perfil do cliente. É o tipo de conflito inerente ao modelo da XP, e o jeito era monitorar ligações entre agentes e clientes, premiar os melhores escritórios e punir os piores, investir em métricas de *suitability* — termo usado para definir o perfil do investidor conforme seu apetite ou aversão a risco e indicar investimentos adequados. O NPS (*net promoter score*, índice que mede a satisfação do cliente) da XP é alto. Em 2014, quando começou a ser medido, era de 47 pontos, o que indicava espaço para uma série de melhorias — quatro anos depois, estava perto de 80 pontos, o que é considerado nível de excelência. Na prática, isso quer dizer que os clientes passam a ser promotores do negócio e não detratores. No fim das contas, a forma mais poderosa de defender o modelo era mostrar que os clientes estavam felizes.

A Expert, a tal feira copiada da Schwab, era o veículo para manter os agentes nos trilhos. Em 2014, seu tema foi "Entender para Atender". Àquela altura, a Expert já era um evento de três dias para 10 mil pessoas e estava perto de superar a Impact, a feira que dera origem a tudo. A Expert começava a se transformar num culto à personalidade, mais especificamente num culto a Guilherme. Ele nunca foi um orador, muito pelo contrário. Gaguejava em público, evitava olhar as pessoas nos olhos para não perder a concentração. Mas na Expert ele era a estrela, dava autógrafos, posava para *selfies*. Guilherme tinha começado do nada como agente autônomo, e aqueles milhares de pessoas queriam ser como ele.

Ali, o modelo já ganhava uma escala a tal ponto grandiosa que fazia dos próprios agentes empresários de sucesso. A XP criou o G20, o grupo dos vinte maiores escritórios de agentes autônomos, e um prêmio, o Brazil Advisor Awards. A premiação passou a fazer parte da programação da Expert e era definida por uma pontuação de diversos indicadores, como a base total de investidores, o patrimônio do maior cliente e o volume mensal.

Esse movimento chegava a regiões do país antes ignoradas pelo mercado financeiro. Em Belém, o jornalista Márcio Baena, do escritório Ação Brasil Investimentos, ganhou a maioria de seus clientes panfletando em frente a agências bancárias.

—Você investe em fundo do banco? Sabia que você está comprando um carro popular por 400 mil reais? — dizia na abordagem, ao comparar as taxas de administração de bancos com as taxas de gestoras independentes de mesmo desempenho.

O engenheiro civil Flavio Crosara vendeu sua construtora em Goiânia em 2002 para trabalhar como agente autônomo da XP e uma década depois já ganhava 1 milhão de reais por ano em comissões — assessorando os fazendeiros em um raio de 230 quilômetros de sua cidade e comparando o desempenho das ações com bois. É mais arriscado uma empresa quebrar ou um boi morrer? No Amazonas, os agentes tomavam barcos para ir a cidades próximas, como Itacoatiara e Parintins, garantindo uma receita anual de 3 milhões de reais por ano em comissões. No Rio Grande do Sul, o gaúcho Alessandro Safar, sócio da Valle Investimentos, dava palestras em igrejas e até penitenciárias, a pedido de carcereiros que queriam começar a investir em ações. O maior escritório de agentes autônomos vinculado à XP, a Faros Investimentos, do Rio, mantinha sozinho 2 bilhões de reais sob custódia em 2015. Eram exemplos que atraíam mais e mais gerentes de banco para a XP.

Enquanto isso, a concorrência desdenhava e não via a onda que estava se formando.

POUCO MAIS DE QUATRO ANOS após a venda de uma participação para a Actis, a XP era, em 2015, outra empresa. A disciplina dos sócios financeiros criara uma governança que contrastava fortemente com certo amadorismo de outrora. Havia comitês para tudo, um conselho de administração que orientava e cobrava. Antes, apenas os diretores tinham meta. Em 2015, depois da implementação de um plano da consultoria Falconi, todos os funcionários passaram a ter metas acompanhadas mensalmente.

A XP ficou, em 2015, mais fácil de administrar. A centralização das estruturas em São Paulo propiciara uma agilidade que não existia quando a empresa possuía, na prática, duas "matrizes". Em 2014, a XP contava com quase quinhentos funcionários no Rio e trezentos em São Paulo. Havia muita duplicidade de funções e muito tempo perdido com videoconferências e viagens. A mudança para a Faria Lima acabou com isso e abriu espaço para trezentas demissões, que tornaram a empresa mais leve.

O problema de 2014 fora de custos, não de receitas. Em 2015, Benchimol se dedicaria pessoalmente a manter as despesas sob controle. Era mais uma "intervenção", dessa vez na diretoria financeira de Julio Capua. Guilherme quis ver na prática como a diretoria funcionava, para entender como os custos tinham saído de controle em 2014. Passou os quatro primeiros meses do ano enfiado lá, aprovando cada despesa, questionando custos de jantares com clientes e relação com fornecedores. Ao fim da intervenção, convocou Frederico Ferreira, um executivo da General Atlantic, para assumir aquela função.

O crescimento do exército de agentes autônomos e a consolidação do modelo de shopping financeiro mantinham a XP em rota de expansão. Não era mais preciso inventar a roda a cada semestre: o mercado potencial fornecido pelos clientes insatisfeitos de bancos era simplesmente grande demais. Eram mais de 2 trilhões de reais em disputa. Segundo uma pesquisa encomendada à época pela XP à consultoria Oliver Wyman, 95% do dinheiro dos brasileiros era investido por meio dos bancos, ante 4% nos Estados Unidos. A XP tinha uma participação de apenas 0,35% no bolo.

Em 2015, a XP atingiu um marco antes impensável: passou a captar 1 bilhão de reais por mês. O volume de dinheiro captado no ano todo era quase o mesmo que a XP obtivera nos treze anos anteriores. Naquela fase, a plataforma aberta de investimentos já representava dois terços do faturamento da empresa. As receitas vinham de produtos diversos, como papéis de renda fixa privada, fundos imobiliários, fundos de investimento de terceiros e da própria *asset* — que, agora tocada pelo sócio Marcos Peixoto, um gestor que trabalhava no banco Itaú, tinha 3,7 bilhões de reais sob gestão. Era ali que estava o futuro.

Nessa fase, gerentes de bancos como Itaú começaram a ligar para clientes que transferiam seu dinheiro para a XP, alertando-os de que a empresa não proporcionava a segurança de um banco. O crescimento da XP já incomodava. Quando era apenas uma corretora de ações, a XP calculava que tinha de 2% a 3% do total de investimentos dos clientes.

Afinal, um cliente direcionava apenas parte de seus recursos à bolsa. O modelo Schwab mudou essa dinâmica. Em 2015, a parcela da XP nos investimentos dos clientes era de aproximadamente 40% — um número que aumentava devagarinho, à medida que os usuários gostavam do que viam, sentiam-se seguros e iam tomando coragem para abandonar os bancos.

Com os custos controlados e as receitas crescendo daquele jeito, o lucro de 2015 somou 148 milhões de reais. A meta de 140 milhões foi batida — o que deixou a vergonha de 2014 para trás e preparou a empresa para voos ainda mais altos.

Martin Escobari pagou a aposta com prazer. Em uma reunião no escritório do boliviano, Guilherme e Julio se depararam com uma tela do artista uruguaio Fernando Velázquez na parede.

— Martin, gostamos desse negócio de ganhar coisas de você. Queremos esse quadro — disse Guilherme.

— Se você me fizer ganhar 1 bilhão com a XP, o quadro é de vocês — respondeu Escobari, sem pestanejar.

QUANDO ASSUMIU a área de comunicação e marketing da XP, em 2013, o economista Fernando Vasconcellos, amigo de escola de Guilherme, julgou sua missão relativamente simples. A XP queria captar clientes na internet e vender seus produtos de investimento no meio digital.

Até ali, o crescimento da empresa se devia à rede de agentes autônomos, e sua tarefa era essencialmente cuidar dessa rede, que, por sua vez, interagia com os clientes. A XP, no jargão dos negócios, era uma companhia B2B — ou seja, uma empresa que fazia negócios com outras empresas. A chave, ali, viraria também para o B2C, o relacionamento direto com o cliente.

Vasconcellos trabalhara na Cnova, a empresa de e-commerce do Grupo Pão de Açúcar, e ele acreditava que vender CDBs pela internet não seria muito diferente de vender geladeiras. Com uma vantagem: se nas geladeiras a competição já existia, na venda de produtos financeiros a internet era quase inexplorada. Concorrentes menores da XP, como as corretoras Rico e Easynvest, também estavam engatinhando.

Os sócios mais antigos da XP tinham colocado na cabeça que as campanhas publicitárias tradicionais equivaliam a jogar dinheiro fora. No meio digital, era mais barato e também mais fácil de ver o resultado. A XP ia fechar 2013 com apenas trezentos clientes captados na internet, mas aquele parecia ser o caminho.

— Fernando, você vai apresentar os números na reunião do nosso conselho. Trezentos não anima ninguém, então fala que vamos chegar a 1 milhão, a meta é essa — disse Guilherme.

— Um milhão, Guilherme? Que isso, cara, acabei de chegar — retrucou Fernando.

O número era mais de vinte vezes maior que a base da XP. Mas, nessas horas, era inútil argumentar com Benchimol.

— Vamos colocar um prazo nisso então — disse Fernando. — Cinco anos, pelo menos.

Fernando montou a apresentação já arrependido de ter caído na pilha de Guilherme. Olhava aquele gráfico na tela e tentava imaginar o que estaria passando pela cabeça dos conselheiros. Era quase impossível ter 1 milhão de clientes até dezembro de 2018. Mas avançar na internet não tinha muito mistério, então alguma melhora apareceria logo. Tratava-se, basicamente, de escolher em que sites se expor, de que maneira, como aparecer mais rápido e de forma mais eficiente nos portais de busca. O modelo de aquisição de clientes digitais deu certo depressa — e logo também mostrou fadiga.

Em 2014 a XP atingiu 80 mil clientes, e, em 2015, 110 mil, mas o ritmo mensal foi desacelerando. A questão era que as campanhas digitais dependiam da intenção do "futuro" cliente. Para cair nos anúncios da XP, o sujeito precisava fazer alguma busca relacionada ao mundo dos investimentos. Aquela era uma parcela muito limitada do público potencial da XP.

Não ia dar para chegar a 1 milhão de clientes daquele jeito.

Fernando tomou coragem e levou aos sócios a ideia de fazer uma campanha televisiva para criar nas pessoas a vontade de saber mais sobre investimentos e gerar curiosidade sobre a XP.

— Está louco, Fernando? Ninguém mais vê televisão, cara — disse Daniel Lemos, o sócio da área de negociação com clientes institucionais.

— Nos Estados Unidos está todo mundo fazendo só digital. Amazon, Apple… TV é andar na contramão — emendou Bernardo Amaral.

— A gente não vai ser do tamanho que a gente quer só no digital — retrucou Fernando.

O principal problema das campanhas da XP no passado era a falta de consistência. Não adiantava colocar uma página de anúncio na revista *Veja* esperando que isso fosse alterar a rotação da Terra. Em 2015, a XP tinha feito uma modesta campanha publicitária com o lema "Desbancarize", que, naturalmente, pouca gente entendeu. No anúncio, o sócio Gabriel Leal tinha uma conversa telepática com uma atriz que se dizia insatisfeita com seu banco, e os dois se encontravam no final para entrar no prédio da XP. Com esse histórico, era natural que a resistência a uma nova aventura nessa seara fosse grande.

A proposta agora era fazer um negócio mais organizado e consistente para, de fato, testar os meios e seus reflexos — mesmo que fosse para levar prejuízo de novo e desistir de vez.

Se desse certo, a propaganda na TV poderia ajudar a XP a aproveitar uma mudança regulatória importante. O Conselho Monetário Nacional autorizara as instituições financeiras a fazer abertura de contas pela internet, sem que o cliente precisasse atravessar a cidade para assinar um papel numa agência. Parecia simplório, mas era uma revolução, uma mudança estrutural para o mercado financeiro — que abria espaço para as fintechs conseguirem crescer mais rápido, atraindo o cliente sem a burocracia da papelada. Até então, os chamados bancos puramente digitais só existiam no nome, já que os reguladores exigiam uma interação presencial com o cliente na abertura de conta e documentação impressa. A decisão ajudava a afastar o consumidor do bancão e o aproximava do universo digital. Para as corretoras, poder utilizar documentos digitalizados também fazia uma baita diferença. Segundo as contas internas da XP, o tempo que levava para alguém abrir uma conta e começar a investir era de menos de dez minutos. Antes, o processo levava dias.

A hora de aumentar a visibilidade da marca era aquela.

Os sócios decidiram que seria feito um teste de três meses. Para tanto, a XP escolheu Salvador, Brasília, Belo Horizonte e Curitiba, quatro cidades semelhantes em indicadores essenciais — como ritmo de abertura de contas, tíquete médio e nível de interesse em buscas no Google. Em duas delas a XP faria campanhas de televisão, jornal e rádio. Depois, os resultados seriam comparados com as cidades de "controle", em que a XP não faria qualquer exposição em mídias tradicionais.

Para formatar essas campanhas, a XP fez os chamados testes com grupos focais — para entender que atributos de marca era preciso reforçar. A campanha chamada Desbancarize tinha causado uma surpresa — a rejeição do espectador médio a uma empresa desconhecida falando mal de bancos grandes. A XP dizia na internet que era a maior rede de agentes autônomos do país e o internauta respondia que nunca tinha visto uma placa da empresa na rua, na porta de um escritório. Em uma campanha de mídia impressa, ela se definiu como um shopping financeiro — e as pessoas ligavam perguntando o endereço desse shopping e o que se vendia lá.

O termo "plataforma aberta" também foi testado, mas isso não queria dizer nada para o consumidor. Caiu a ficha de que a XP estava tentando vender algo que as pessoas não conseguiam entender.

O jeito era ser mais básico. Palavras como "especialista" e "assessor de investimento" eram mais facilmente digeridas nos testes. E, para transmitir a ideia de que a XP era uma especialista-em-assessoria-para-fazer-seu-dinheiro-render-mais, não seria possível seguir na velha ideia de usar o sócio menos despreparado para falar em público. Eles precisavam de um garoto-propaganda de verdade.

— Tem que ser o Federer — disse Julio.

— O Roger Federer, cara? Sem falar no preço, o brasileiro só reconhece o Federer se estiver com raquete na mão e faixinha na cabeça. Político, nem pensar — retrucou Fernando, já respondendo a alguém que tinha mencionado Bill Clinton do outro lado da mesa. — Tem que ser brasileiro.

O tenista suíço e o ex-presidente americano estavam descartados. Mas não adiantava escolher um nome popular que já estivesse em uma campanha milionária de outra marca ou de uma concorrente — se fosse atrelado a uma marca de cerveja, não iam ligá-lo à XP; se fosse atrelado a um banco, também não. Tampouco funcionaria alguém com quem os próprios sócios da XP não simpatizassem. Um nome pouco provável apareceu na lista das agências contratadas.

As pesquisas mostravam que o ator Murilo Benício era popular entre o público e apresentava baixíssima rejeição. Ele tinha sido protagonista de duas das três novelas mais assistidas da TV Globo. Além disso, seu nome não estava atrelado de imediato a nenhuma empresa. O nome foi apresentado e aprovado na reunião de sócios e no conselho da XP. Mas, na véspera da assinatura de contrato, Guilherme chamou o chefe de marketing.

— Fernando, preciso falar com esse cara. Não estou confortável. Vai que ele bate em alguém na rua, trai a mulher, sei lá, é muito risco pra gente.

— Relaxa, Guilherme, a gente avaliou o histórico todo, fez *background check*, essas coisas estão no contrato também.

— Eu sei, mas marca um almoço aí com ele, eu preciso encontrar esse cara antes de fecharmos com ele.

Guilherme e Murilo almoçaram num restaurante na zona sul do Rio. Depois de uma hora de conversa falando sobre a história da XP e suas preocupações, Guilherme disparou:

— Cara, por favor, tenha juízo.

A campanha de TV fechada, em que o ator global se diz um dos 160 mil brasileiros que descobriram a vida fora dos bancos, fez o volume de abertura de contas aumentar 30% em relação às cidades de controle.

A XP nunca mais sairia da TV. O investimento nas campanhas com Murilo Benício somou quase 200 milhões de reais, algo que a XP nunca sonhara gastar em publicidade — ou quatro vezes o lucro da companhia em 2014. Mas os "tiros de canhão" da TV seriam fundamentais para fazer da XP a empresa mais lembrada do setor ("Top of Mind", no jargão do mercado publicitário) por tornar o sonho de ter 1 milhão de clientes algo possível.

• • •

MOTIVADO PELAS PROVOCAÇÕES feitas pela GA acerca do futuro, Guilherme decidiu que estava na hora de transformar a XP num banco, cortando o "cordão umbilical" que ainda ligava os clientes aos bancões. Oferecer cartões de crédito, empréstimos, pagamento de contas, saques e todos os serviços de seus maiores concorrentes — parecia uma baita ideia. A projeção era de que se 20% dos clientes abrissem conta no banco XP já valeria a pena. O investimento inicial era estimado em 80 milhões de reais, a serem gastos especialmente em tecnologia. A XP também avaliava oferecer empréstimos mais baratos, tendo a carteira de investimentos do cliente como garantia.

A Actis e a própria GA não estavam tão certas de que esse seria o momento de partir para a criação de um banco. A maior resistência era da Actis, que entendia o modelo muito mais como um engessador do crescimento que a XP ainda tinha pela frente do que como novo vetor de expansão. Ser banco significava cumprir uma série de exigências regulatórias, com novos custos fixos e mais burocracia. O capital mínimo para manter um banco, por exemplo, era mais de dez vezes o exigido para manter uma corretora.

Havia uma contradição óbvia na estratégia. A XP, afinal, vivia dando pancada nos bancos. E agora queria virar um banco? O paradoxo foi explorado em reportagens — o principal assunto da XP deixou de ser seu crescimento e passou a ser a virada na estratégia. Mas, após vasculhar o mercado em busca de um banco para comprar — inclusive anunciando a intenção de adquirir a operação brasileira do gigante americano Citigroup —, a XP engavetou o projeto.

Dando-se por satisfeita com o investimento, a Actis começou a sondar interessados em comprar a sua participação na XP. Os sócios da gestora britânica tiveram conversas com diretores de Bradesco e Itaú.

Apesar do interesse inicial dos bancos, que viam em suas telas o volume de transferências de dinheiro de clientes para as contas da XP, a Actis dependia da aprovação de Guilherme — e ele tinha vetado qualquer negócio com bancos.

O jeito seria encontrar outro fundo interessado. Quem mais avançou no processo foi a gestora inglesa Apax, mas o comitê de investimento do fundo não viu na XP potencial de crescimento além do patamar em que a companhia já estava. Em abril de 2016, a própria General Atlantic resolveu fazer uma proposta para comprar a participação remanescente da Actis. Era uma transação bem mais simples, já que, como sócia, a GA não precisava fazer auditoria na XP. Por 300 milhões de reais, ficou com os 10% da Actis e fez uma injeção adicional de 150 milhões de reais ao caixa da XP. Assim, subiu sua fatia na empresa para 49%.

Essa transação já avaliava a XP em 3 bilhões de reais.

FECHADA EM 2014, a compra da Clear tinha sido um sucesso. Os 90 milhões de reais de investimento se "pagaram" em dezoito meses. Roberto Lee, o fundador da Clear, se tornou o novo queridinho de Guilherme. Sua pegada tecnológica parecia indicar o futuro da XP. Numa entrevista, Benchimol o chamou, num exagero que beirava o ridículo, de "nosso Steve Jobs".

A ascensão de Lee, que passara a ser chamado para palpitar sobre tudo, gerou um conflito com Glitz, o gaúcho que tinha entrado na XP quase dez anos antes e, em 2015, era responsável pelo varejo. Eles discordavam em tudo, a começar pelo famigerado grito de guerra inspirado no Walmart. Lee achava aquilo patético, o tipo de coisa que fazia a XP ser considerada uma empresa de segunda classe no mercado financeiro. Com a mudança para São Paulo, Lee dizia que a XP tinha que ser mais séria, mais sóbria, ter um jeito menos "corretora de juventude". O grito foi abolido. Glitz, que já vinha demonstrando incômodo com o que chamava de fase "trator" de Guilherme, teve uma conversa com ele, que lhe sugeriu mudar-se para o escritório de Miami. Claro, uma sugestão como aquela era a antessala da demissão, já que não havia muito o que fazer na Flórida naquela altura do campeonato. Glitz vendeu sua participação de 3% e foi dar uma volta ao mundo com a mulher.

Outros sócios mais experientes que tinham entrado havia pouco tempo na XP, como Rodrigo Machado e Patrick O'Grady, também deixaram a sociedade nessa época. Eles se incomodavam com aquele ritmo da XP, de fazer tudo para ontem e encerrar com a mesma velocidade se não funcionasse, e o entendimento de que sua senioridade não tinha peso relevante nas decisões da garotada — para os jovens sócios da XP, aquela cultura tradicional do mercado financeiro era pouco adaptável ao novo ambiente.

O reinado de Lee duraria pouco mais de dois anos. Se agitara a sociedade, a compra da Clear também mostrara um caminho para a frente. A ideia de fazer da XP uma operação com várias marcas nascia ali. A inspiração vinha da cervejaria Ambev, que tinha uma marca corporativa que, na prática, deixava cada uma de suas cervejas livre para ter a identidade que fosse mais interessante. A Clear seria destinada aos investidores que negociavam em grande volume e em base diária, os *traders*. Se o grupo tivesse ainda uma corretora de varejo destinada a pequenos investidores e a iniciantes, a marca principal XP poderia se voltar para a renda mais alta e concentrar seus assessores de investimentos em volumes acima de 300 mil reais.

E, se era esse o caminho, havia um alvo suculento no varejo — a corretora Rico.

Criada em 2011 pelos mesmos fundadores da Link — uma corretora de sucesso vendida anos antes para o banco suíço UBS —, a Rico era a maior concorrente da XP. No início, a Rico seguira a trajetória da XP, com a tentativa de se apoiar em agentes autônomos e em cursos presenciais, mas a corretora acabou encontrando um caminho para se chocar menos com a turma da concorrência. Seu modelo era on-line, tanto para atrair clientes quanto para dar cursos. Os sites de cupons de desconto estavam em alta e a Rico vendia aulas a distância com seus *traders* nesses portais. Guilherme já revelara diversas vezes a intenção de adquirir a rival, mas os sócios da Rico não demonstravam interesse em vendê-la e, pior, não queriam fazer negócio com a XP de jeito nenhum.

— Eu quero esse brinquedo, Amaral — dizia Guilherme ao sócio.

A concorrência com a Rico era pesada. A XP avançava sobre os operadores da empresa, com propostas irrecusáveis, para reforçar seu time e enfraquecer a rival. Numa das saídas de operadores, a Rico partiu para a briga e abriu um processo contra os ex-funcionários. Havia uma cláusula nos contratos que os impedia de ir para a concorrência por determinado período, mas o *non-compete* não estava bem definido (na avaliação da XP) e era possível contorná-lo. Amaral tentou um acordo de cavalheiros, mas a Rico não quis. Assim, a XP assumiu a briga dos garotos e ficou com os operadores.

A Rico tinha ganhado escala em 2014 ao associar-se ao grupo português Caixa Geral de Depósitos (CGD), que havia comprado o *home broker* local do banco Banif, também português. A estimativa é que o banco tenha adicionado cerca de 70 mil clientes à Rico, cuja base era de 20 mil. O problema é que a CGD, uma instituição estatal, começou a engessar a Rico. Os portugueses, à frente do banco estatal, queriam se desfazer do negócio, e os sócios brasileiros só manteriam sua fatia na corretora se fosse para um investidor financeiro. Se fosse para um concorrente, melhor que levassem tudo — mesmo que fosse a XP.

As tratativas começaram, cada um com seus advogados, mas a XP estava desconfiada. Em meio às negociações, os sócios da Rico desmarcavam uma reunião em cima da hora, os advogados sumiam...

— Guilherme, isso é indício de que estão negociando com mais alguém — disse Amir Bocayuva, do BMA.

— Não pode ser, cara. Se tiver alguém nesse negócio é o BTG.

A XP tinha assinado com a Rico um contrato de exclusividade nas negociações pelo prazo de trinta dias, mas as conversas já se arrastavam por dois meses. O BTG Pactual começara a estudar uma entrada mais relevante no varejo e desenhava sua própria plataforma digital de investimentos. O jeito era a XP acelerar a negociação e aumentar um pouco o preço para fechar logo a compra, antes que fossem atropelados por outro interessado. Na paranoia de Guilherme de que o BTG ia passar por cima da XP, os advogados decidiram pregar-lhe uma peça. Fabrício, o chefe do jurídico, salvou o telefone de Amir no celular com o nome de André Esteves (o chefe do BTG) e, na reunião decisiva, quando aguardavam a chegada dos sócios da Rico à sala do BMA, pediu que ligasse para ele. O celular começou a tocar.

— Putz, olha aqui, Guilherme — disse Fabrício, mostrando o celular com o nome de Esteves piscando na tela.

— O que é isso? Não acredito! Será que ele fechou? Tá ligando para jogar na cara?

Fabrício e Amir caíram na gargalhada. Mal sabiam que André Esteves tinha mesmo ido ao escritório da Rico um dia antes para tentar atravessar a XP na compra da corretora.

A XP chegou a propor a um dos principais sócios da Rico, Norberto Giangrande Jr., que metade do pagamento por suas ações fosse feito com ações da XP. Mas ele não quis. A briga judicial em torno dos operadores tirados da Rico pela XP foi encerrada ao longo da negociação. E, em dezembro de 2016, a XP anunciou a compra da Rico por 203 milhões de reais.

A compra da concorrente representava o fim de um ano glorioso para a XP. Tudo estava dando certo. O volume de dinheiro captado começava a beliscar os 2 bilhões de reais por mês. As duas concorrentes mais inovadoras eram agora marcas da XP. A campanha publicitária na TV dava outra dimensão ao grupo. E o aumento do *share of wallet* tornava a operação da XP mais rentável.

A XP havia alcançado a tal "velocidade de escape" que Martin Escobari tanto pedia.

11
DUAL TRACK

O ano de 2016 terminou melhor do que qualquer um poderia ter sonhado na XP. O orçamento colocava como meta um resultado de 180 milhões de reais, e a XP entregaria um lucro de 244 milhões de reais no ano. A empresa estava conseguindo não só atrair muito mais dinheiro, como também extrair mais lucro de cada real que entrava. Em dois anos, sua receita tinha mais que dobrado, passando de 1 bilhão de reais.

O modelo estava mais encaixado do que nunca. Parecia chegada a hora de executar o tantas vezes adiado plano de abrir o capital da empresa, vendendo ações na Bovespa.

Para os sócios da XP, havia um motivo óbvio para um IPO e outro menos óbvio. O primeiro era a chance de vender ações numa operação secundária — uma oportunidade de embolsar um bom dinheiro. Mas, impulsionando a ideia, estava também o objetivo de tirar a XP do isolamento. Por quase dezesseis anos, Guilherme Benchimol e seus sócios haviam batido de frente com o sistema financeiro, e esse confronto se acentuava à medida que os clientes dos bancos sacavam bilhões por mês de suas contas. Ter capital aberto significava ter milhares de sócios, mais gente remando para o mesmo lado, e a cobertura de casas de análise que entenderiam o modelo de negócios. No fim, ter capital aberto ajudaria a XP a captar ainda mais.

Aquilo era música para os ouvidos da General Atlantic. Dona de 49% das ações da XP, a gestora de Martin Escobari tinha a oportunidade de começar a vender sua participação com lucros potencialmente fantásticos. E, para um fundo de *private equity*, ser acionista de uma empresa aberta torna muito mais fácil ir se desfazendo dos papéis à medida que as ações valorizam. Escobari, que quatro anos antes considerava a XP pouco preparada para a vida de empresa aberta, ainda tinha dúvidas. Com a empresa crescendo daquele jeito, até faria sentido esperar mais um pouco.

Quando pensa em abrir o capital, todo empresário avalia tanto a situação da companhia quanto o humor do mercado. No melhor cenário, faz-se um IPO de uma empresa em ótima fase e numa bolsa eufórica. Mas nem sempre isso é possível. Ninguém quer vender ações num momento de baixa da bolsa, já que o preço tende a ficar abaixo do sonhado. Dar a largada num IPO em períodos de alta volatilidade também embute um risco. Pode-se iniciar o processo num mercado de alta e terminá-lo num mercado mal-humorado, o que pode resultar em preços baixos ou em desistência. E desistir do IPO na última hora costuma pegar mal.

É por isso que é tão importante avaliar o tamanho da "janela" da bolsa. E, no Brasil do fim de 2016, a Bovespa começava a demonstrar certo ânimo com a promessa de reformas econômicas do governo Michel Temer.

— Martin, acho que temos uma oportunidade agora. Crescemos muito este ano, o cenário mudou e queremos aproveitar essa janela — disse Guilherme.

A decisão, a rigor, já estava tomada, uma vez que os sócios executivos tinham o poder de decidir. Mas Escobari concordou que a hora era aquela.

— Tudo bem, vamos dar a partida — disse ele.

Combinaram que todos os sócios da XP (ou seja, os executivos, a GA e a Dynamo) venderiam cerca de 50% de suas participações.

Em janeiro de 2017, o conselho de administração da XP aprovou o projeto de abertura de capital.

Com o sinal verde do conselho, a XP começou a procurar bancos de investimento para preparar sua listagem na bolsa brasileira. Num processo de IPO, os bancos são os responsáveis por fazer o meio de campo com os potenciais investidores. O primeiro passo desse processo é uma apresentação detalhada dos números da empresa — seu potencial, como esse potencial será "vendido" aos investidores e, por fim, quanto a empresa deveria valer. Aquele era um período de vacas magras para os bancos no Brasil. Em três anos (da depressão econômica do segundo governo de Dilma Rousseff e o primeiro ano de Michel Temer), haviam sido feitas apenas três aberturas de capital. Naturalmente, todos fizeram fila para disputar o IPO da XP.

Guilherme recebeu um pedido especial de André Esteves. No início de 2017, o BTG Pactual voltava a colocar a cabeça fora d'água, depois que uma crise causada pela prisão de Esteves quase levara o banco à lona. Esteves e Guilherme se davam bem. O banqueiro do BTG tinha dado uma palestra na Expert de 2013, justamente quando a elite do mercado financeiro ainda desconfiava da XP. Esteves, então na crista da onda, chegara de helicóptero à cidade paulista de Mogi das Cruzes e fora a sensação do evento. Em 2017, participar do IPO da XP era importante para marcar certa volta à normalidade para o BTG.

Nas apresentações, quase todos os bancos apontavam que a XP poderia ser avaliada entre 10 e 15 bilhões de reais num IPO. O Credit

Suisse, mais otimista de todos, cravou um preço-alvo de 20 bilhões de reais. Os sócios da XP ficaram de queixo caído. Afinal, poucos meses antes, a GA tinha aumentado sua participação e avaliado a empresa em 3 bilhões de reais. A explicação para aquela diferença era a projeção de lucros crescentes (a meta era lucrar 420 milhões de reais em 2017) e a demanda potencial que um IPO da XP causaria entre investidores do mundo inteiro. O topo da faixa parecia impossível — por que não sonhar, então, com o meio?

A XP fechou o grupo de bancos para coordenar o IPO, liderado pelo J.P. Morgan, mas contando ainda com Itaú BBA, Morgan Stanley, BTG Pactual, Bradesco BBI, Safra, Goldman Sachs e Bank of America Merrill Lynch, além da própria corretora. Uma reunião de quatro horas na sede do J.P. Morgan deu a partida no processo. Pela primeira vez na história da XP, e depois de tanto falar sobre o assunto, o IPO era algo palpável.

Aos 45 anos, Martin Escobari era macaco velho. Se para os sócios da XP tudo naquele IPO era novidade, ele já vira de tudo um pouco em sua carreira. Principalmente, já tinha passado por um punhado de situações como aquela. Se a vida tinha lhe ensinado alguma coisa, era sobre a importância de partir para um IPO com um plano B — o chamado *dual track*. Num *dual track*, a empresa dá a largada em seu IPO, mas também abre, discretamente, espaço para a venda para um único investidor, que pode ser financeiro (como aconteceu com a própria GA em 2012) ou "estratégico", termo usado no mercado financeiro para designar empresas da economia real. Na experiência de Escobari, o *dual track* acabava resultando na venda para um "estratégico".

E, com a XP, ele ia tentar a mesma coisa.

Não chega a surpreender que Escobari e Julio tenham marcado conversas com a própria Schwab. A mãe espiritual da XP não tinha operação no Brasil, e uma aquisição seria uma forma de chegar "chegando" ao mercado brasileiro. Eles conseguiram uma reunião em Nova York com dois sócios executivos, que até gostaram do que ouviram, mas esfriaram os ânimos da dupla quando informaram que qualquer processo seria demorado, teria de passar por um comitê disso, um comitê daquilo — e que eles, diferentemente da XP, não tinham pressa. Com a Schwab não ia rolar.

Escobari sempre achara que o Itaú seria o comprador mais óbvio para a XP, mas tinha ficado quieto até ali. Quando começou o *dual track*, porém, ele colocou seu plano em marcha. Já no fim de 2016, disse aos sócios executivos da empresa que seria muito importante melhorar o relacionamento com o Itaú, que àquela altura tinha uma rixa direta com a XP em função dos clientes que perdia. Em dezembro, a XP precisava de um empréstimo-ponte de 150 milhões de reais para pagar uma parcela da aquisição da corretora Rico. O gestor boliviano acionou seus contatos no Itaú para agilizar o processo. Conseguiu garantir a linha de financiamento, levada para aprovação no comitê de crédito da XP. A turma achou o custo da dívida "alto". Escobari rebateu, defendendo que não se estressassem com o Itaú por causa disso. Foram duas reuniões desgastantes entre os sócios, que acabaram conseguindo abaixar os juros — por outro lado, ficou acertado que o Itaú BBA entraria no grupo de bancos coordenadores do IPO.

Escobari marcou um almoço no Itaú com os principais executivos do banco para — oficialmente — tentar aliviar o desgaste resultante daquelas negociações. Fariam uma "social" com o diretor-geral de atacado, Eduardo Vassimon, e com Márcio Schettini, executivo que estava assumindo a diretoria-geral de varejo. Guilherme achava aquilo muito trabalho para nada, mas Escobari tinha sido um mentor na fase de maior crescimento da XP e não seria agora que os sócios deixariam suas considerações de lado.

O boliviano tinha um plano secreto. Ele achava que, de posse de todos os números da XP, as áreas de mercado de capitais e de varejo do banco poderiam enviar um alerta para os controladores do Itaú, colocando a equipe interna de aquisições do próprio banco na jogada. Não seria algo inédito no mercado brasileiro. Em 2006, o banco suíço UBS estava participando da preparação para a oferta de ações do banco brasileiro Pactual quando concluiu que o melhor mesmo seria, em vez de coordenar seu IPO, comprá-lo. O UBS acabou comprando o Pactual por 2,5 bilhões de dólares.

A esta altura, a turma da XP já tinha entendido o plano de Escobari. Eles haviam interagido com Schwab, com a gestora americana BlackRock e também com as divisões de *private equity* dos bancos Goldman Sachs e J.P. Morgan, mas ninguém estava com pressa para fechar negócio. Já a XP tinha um cronograma a cumprir. A única chance de ter um *dual track* digno do nome era mesmo chamar a atenção do Itaú.

Guilherme tinha sentimentos contraditórios sobre essa aproximação com o banco. A XP fizera campanhas agressivas pela desbancarização de investimentos e para criar uma marca que fosse vista como alternativa aos maiores bancos do país. Atrelar-se a um deles poderia ser um tiro no pé. Por um lado, eles tinham atraído 400 mil clientes com aquele discurso e estavam às portas de um IPO que poderia ser histórico. Por outro, havia aquela eterna busca por credibilidade. A venda para a Actis fora um passo nessa direção, a entrada da GA, outro. Mas Guilherme sabia que o grande público nunca ouvira falar nesses dois fundos. Ser sócio do Itaú significaria ser visto como seguro por milhões de pessoas. "Vai que isso dá certo...", pensou ele.

Tudo dependia de uma pessoa: Roberto Setubal.

BANQUEIRO MAIS PODEROSO do país, Roberto Setubal ouviu falar da XP pela primeira vez em 2012, e entendeu tudo errado. Achou que a empresa vivia de vender CDBs de bancos médios para o público de varejo e, como não via futuro algum numa instituição financeira que fizesse apenas isso, nunca mais pensou no assunto. Em 2008, quando o Itaú abriu negociações para comprar a XP, a informação nem chegou a seus ouvidos. O departamento de fusões e aquisições do banco vivia prospectando negócios, e aquela possibilidade tinha morrido cedo demais. Setubal, afinal, estava ocupado negociando a maior fusão de sua carreira, aquela que criaria o Itaú Unibanco.

Depois daquele almoço com os sócios da XP, Escobari se reuniu em segredo com Vassimon e Schettini para uma conversa mais franca sobre a possibilidade de venda no fim de janeiro. Os diretores do Itaú se juntaram a Fernando Chagas, o executivo responsável pelas aquisições do banco, para avisar Setubal e Candido Bracher (que comandava o Itaú BBA e assumiria a presidência de todo o Itaú Unibanco semanas depois) de que a XP poderia estar aberta a uma negociação.

Dos dois, Bracher era quem tinha alguma percepção do incômodo que o crescimento da XP gerava em certas unidades de negócio do banco. Marco Bonomi, diretor-geral de varejo que antecedeu Schettini, levantava o efeito XP em reuniões. A imensa área de *asset management* também começava a sentir o efeito dos saques rumo à XP. Mas o Itaú enfrentava tantos concorrentes em tantos segmentos que Bracher não perdia muito tempo pensando na XP — comprá-la, então, não passava pela sua cabeça.

Na ponta, a situação era outra. O Itaú era a origem de 27% do dinheiro captado diariamente pela XP. Em 2017, esse número se aproximava perigosamente de 1 bilhão de reais por mês. Gerentes de conta já sabiam muito bem o que era a XP — afinal, aqueles saques estavam atrapalhando o cumprimento de suas metas.

— O J.P. Morgan e a GA dizem que a XP está considerando ter um sócio de referência, em vez de fazer o IPO — disse Chagas aos chefes.

— Qual é o valuation para o IPO? — perguntou Setubal, por curiosidade.

— Estão falando em 12 a 15 bilhões.

— O quê?? Esses caras estão loucos!

Mas o alerta de Chagas e o patamar de preço em discussão instigaram Setubal e Bracher. Aquilo estava longe de ser uma transação óbvia. Eles precisariam se aprofundar naquele modelo de negócio, na lógica da avaliação de preço do IPO, nos custos de captação de cliente e no impacto daquela companhia no mercado.

— Precisamos conhecer esse negócio com mais profundidade — disse Bracher.

— Para ter alguma conversa, vamos ter um número já em mãos — concordou Setubal.

A equipe de fusões e aquisições do banco se debruçou em análises e explicações que eram apresentadas em reuniões ao comando do Itaú. Setubal e Bracher foram surpreendidos com o tamanho da XP. A análise comparava a rentabilidade do cliente de varejo da XP e do cliente do Itaú, os custos de captação de cada um, os ritmos de crescimento e o potencial de novas captações. Com tudo isso somado, Setubal passou a acreditar na operação e no potencial de crescimento daquele negócio. A avaliação interna comprovava que a XP poderia de fato valer entre 11 e 12 bilhões de reais.

Os banqueiros do Itaú ainda tinham dúvidas sobre o modelo de negócio. O Itaú jamais teria uma operação como a da XP e seus milhares de agentes autônomos. Assessores sem vínculo empregatício, os potenciais conflitos de interesse — tudo isso ainda assustava. Comprar o controle da XP já na largada estava fora de cogitação.

Setubal concluiu que a compra de uma participação minoritária seria uma forma de embarcar naquele negócio de forte crescimento, mas sem aumentar os riscos para o Itaú. Proporiam um estilo de acordo que, no jargão em inglês, aponta um *path to control*, ou "caminho para o controle". Aos poucos, o Itaú aumentaria sua participação, até que, lá na frente, teria a opção de assumir tudo. Com um pé dentro da XP, seria mais fácil entender o modelo e seus riscos e adaptar o que fosse preciso.

Só depois de fazer todo esse exercício mental Setubal decidiu que era hora de conhecer aquele tal de Guilherme Benchimol.

A reunião foi marcada para o dia 10 de fevereiro. Geralmente, Setubal recebia seus convidados na sala de reuniões anexa à sua. Preferiu, no entanto, reservar uma sala mais discreta nesse caso — no andar da presidência, mas longe dos elevadores.

Para ele, aquela seria apenas uma de uma longa série de conversas. O Itaú tinha comprado a operação de varejo do Citibank no Brasil meses antes, sua 17ª aquisição em trinta anos. Setubal sabia que, quando negociava com um empreendedor, empatia era a questão-chave. Afinal, se fechassem negócio, seriam sócios por muitos e muitos anos. Mais que preço ou estrutura do contrato, era fundamental ir com a cara do sujeito que chegaria.

Se a camisa sempre saindo da calça e os cabelos desgrenhados passavam um ar de ingenuidade, a paixão que demonstrava pelo negócio e o conhecimento de cada detalhe de sua operação fizeram com que Benchimol logo caísse nas graças de Setubal.

— Eu dei uma boa aprofundada na avaliação sobre a XP e acredito no seu modelo de negócio — disse Setubal. — Estou vendo que você quer abrir o capital. Será que não tem espaço para fazermos algo juntos?

— Vamos conversar, mas como a gente colocaria isso de pé? Eu tenho uma condição já de saída. A XP tem que ser independente.

— Concordo com você. Vamos fazer um desenho com uma presença muito *soft* do Itaú, que te deixe confortável na gestão e me deixe confortável com a governança.

A conversa fluiu fácil. Em quatro horas, definiram quais seriam as linhas gerais de uma transação, inclusive sua estrutura de governança e o valor atribuído à XP — 12 bilhões de reais, uma espécie de meio-termo entre as projeções pessimistas e otimistas dos bancos que coordenavam o IPO. Benchimol não abria mão de manter a empresa independente enquanto fosse sócio dela. Setubal percebeu que, apesar da conexão estabelecida, Guilherme estava na defensiva. Chegou a pedir condições para sair do negócio, para não ficar amarrado a uma estrutura com a qual não concordasse. Ele não queria, de forma alguma, que o Itaú matasse a XP como outros grandes bancos haviam matado empresas adquiridas.

— Entendo sua apreensão, Guilherme. Mas temos um histórico longo aqui no banco de sermos bons parceiros.

A primeira grande sociedade na gestão de Setubal fora costurada com o banco de investimento BBA. A conversa entre ele e Fernão Bracher, o pai de Candido, acontecera quinze anos antes, numa negociação que levou mais de um ano. O Itaú reorganizou sua estrutura ao absorver o BBA, consolidando a área de atacado. Tocada pela cúpula do BBA — Bracher pai e filho, Antonio Beltran e Vassimon —, a divisão ficou quase quatro vezes maior do que era a instituição independente. Em 2008, na fusão do Itaú com o Unibanco, os acionistas passaram a dividir o conselho de administração, assim como diretorias e vice-presidências, com seus principais executivos, adaptando a cultura corporativa ao modelo muito próprio que cada um dos bancos tinha. Em 2009, numa costura semelhante à que Itaú e XP estavam discutindo, o banco virara sócio da Porto Seguro. A seguradora havia dispensado o Bradesco dias antes, pois o banco insistia em um compartilhamento de controle. O Itaú entrou na jogada propondo uma associação em determinados ramos de seguros, com a criação de uma outra sociedade controlada pela Porto Seguro, e gerida também por ela.

O histórico indicava que o Itaú não absorvia marcas ou parte delas para matá-las e que respeitava o modelo de negócio e as pessoas que chegavam, defendeu o banqueiro.

Sem muito drama, eles concordaram com uma estrutura em que o Itaú iria comprar a maior parte das ações preferenciais da XP, ou seja, aquelas sem poder de voto, com uma fatia minoritária de ações ordinárias. Assim, o banco teria uma participação relevante na empresa, mas não o comando do negócio, uma vez que os sócios da XP continuariam com a maioria das ações votantes. Ao longo dos anos, poderia aumentar sua participação, até um momento em que teria a opção de comprar tudo e a XP teria a opção de vender tudo — o que seria detalhado depois.

— A gestão é sua, mas o Itaú fica à frente da auditoria interna. Quando a gente aumentar um pouco a fatia, indicamos o CFO, que responderá a você — disse Setubal, referindo-se ao cargo de diretor financeiro.

— Tudo bem, só quero ter tranquilidade para tocar o negócio.

Para Guilherme, entregar a auditoria era uma demanda adequada — para Setubal, era um trunfo fundamental para convencer seu próprio conselho de administração a ir adiante. Agora, bastava negociar os detalhes — detalhes que ameaçariam de morte o negócio.

No domingo, dia 12, Setubal acionou sua equipe de fusões e aquisições. Três dias depois, os sócios da XP e os negociadores do Itaú estavam sentados à mesa de reunião do banco J.P. Morgan, na Faria Lima. Chagas, o "carrasco" do Itaú, ficaria à frente do passo a passo da negociação pelo banco. Se Setubal havia sido o *good cop* naquela primeira conversa com Guilherme, caberia a Chagas o papel de "mau policial". Afinal, ele era contratado para isso: tirar o máximo e ceder o mínimo. Ao longo de mais de dois meses, um grupo de quase vinte advogados e banqueiros se debruçou sobre cláusulas e revisões. Era uma operação complexa. Os contratos tinham que abranger direitos e deveres diferentes conforme o Itaú avançasse no capital da XP, o que aconteceria ao longo de, no mínimo, sete anos. Também precisavam prever, por exemplo, como responsabilizar os sócios se aparecesse algum passivo. E como a XP apresentava uma composição acionária diferente a cada ano, conforme o desempenho dos sócios, era necessário garantir ainda que os sócios de cada período estivessem contemplados no contrato.

Operações de venda costumam ser naturalmente cercadas de sigilo, sobretudo quando uma das partes é uma empresa de capital aberto, com ações negociadas em bolsa. Essa transação, no entanto, embutia um complicador adicional. Apenas um grupo de sete sócios da XP sabia das tratativas com o Itaú, enquanto outros dez sócios principais se dedicavam à operação de oferta de ações. O mesmo acontecia no BMA Advogados e no banco J.P. Morgan, contratado como assessor financeiro da XP para a operação com o Itaú e para coordenar o IPO. A ideia era que as equipes encarregadas da oferta pública não perdessem o pique, sabendo que o plano A, àquela altura, se transformara no plano B. O Itaú estava conduzindo uma auditoria na XP e precisava ter acesso a dados estratégicos. A XP tinha que fornecer esses dados sem que ninguém soubesse o destino das informações. Para todos os efeitos, eram dados importantes para o IPO. Era preciso enganar a própria equipe para garantir o sigilo e impedir que algum vazamento de informação fizesse com que a operação fosse abortada.

A turma do IPO, no escuro, estava empolgadíssima com o processo. Um fundo de pensão canadense estava disposto a ancorar a oferta da XP, ficando com 10% das ações que seriam distribuídas. Ter um investidor âncora garante a viabilidade da operação e, por consequência, ajuda a chamar outros investidores. O problema é que uma transação dessas funciona como uma negociação privada, paralela ao IPO — e a XP já não tinha braços disponíveis para isso. Os sócios principais estavam tão envolvidos no processo de venda que até Fabrício de Almeida, o diretor jurídico, conduzia reuniões com os canadenses.

Se os sócios da XP viviam sua porção de "agonia", o Itaú também enfrentava sua própria batalha interna. Setubal havia levado a transação ao conselho de administração do banco e não encontrara um suporte imediato. O valor era muito alto e o modelo de negócio muito arriscado, na visão da maioria dos conselheiros. A XP tinha que concretizar uma série de premissas para que a precificação ficasse correta. Setubal precisou submeter o conselho a um processo de convencimento, que incluía acabar com a ideia de que a XP era uma plataforma de venda de CDBs — coisa que o próprio banqueiro pensava até semanas antes.

O outro incômodo gritante dizia respeito aos riscos. Além do modelo de agentes autônomos, que lhes parecia ousado, o conselho sabia muito bem que, no mercado financeiro, sempre há empresas "andando no acostamento" e queria se assegurar de que a XP não era uma delas, mesmo apresentando crescimento robusto.

— A auditoria é nossa. Indicamos o diretor e teremos maioria no comitê — disse Setubal.

Aquilo, como ele já sabia, trouxe uma dose de tranquilidade aos conselheiros, por mitigar parte dos riscos. Setubal também recorreu à confiança dos conselheiros em seu julgamento. O fato de o banqueiro ter tanta convicção foi determinante. O Itaú daria um selo de confiança à XP e a seu futuro, e a XP agregaria um negócio novo que o banco teria dificuldade de replicar.

Foram quase três meses discutindo cláusulas ponto a ponto com o Itaú. O escritório BMA, mais uma vez, era o *bunker* oficial da turma da XP, que se revezava também na sede do J.P. Morgan, a três quarteirões dali. As últimas três semanas foram particularmente intensas. Todo dia parecia ser o último para a assinatura do contrato — até que surgia alguma polêmica jurídica ou operacional, e o debate se estendia mais um pouco. No dia 6 de maio, um sábado, Julio Capua precisava ir para o

Rio. Era o primeiro aniversário de sua filha e ele não aparecia em casa fazia dias, dedicado à transação. Guilherme, que julgava a coisa encaminhada, conduziria com os advogados. Capua e Guilherme iniciariam as viagens para conversar com investidores estrangeiros na segunda-feira, quando partiriam para Londres.

Os times se encontraram às onze da manhã de sábado no BMA. Num telão, todas as cláusulas do contrato eram repassadas, e não havia divergências significativas. Mas o objetivo principal daquele encontro era o anúncio da conclusão da auditoria do Itaú na XP. Guilherme, Chagas e Amir Bocayuva, o advogado que conduzira todas as negociações da XP desde a compra da corretora Americainvest, saíram do *bunker*, onde estavam quase vinte pessoas, e foram para uma sala menor, ao lado. Chagas abriu uma pasta com um papel que mostrava uma lista de pontos.

— Revisamos tudo, levei para os controladores e concluímos que alguns pontos são inegociáveis. Achamos que esse investimento em tecnologia, por exemplo, terá que ser o dobro do que vocês estimam, o que vai reduzir o lucro projetado. Também tem aqui essa discussão de débito com a Receita, que a gente acha melhor zerar logo em vez de aguardar recurso.

Benchimol e Bocayuva escutavam, com poucas intervenções, para ver onde tudo aquilo ia parar.

— O resultado disso é uma diferença de 1,8 bilhão de reais. Vamos ter que fazer esse ajuste no preço — disse Chagas.

Guilherme levou um choque. Disse que não ia mexer em preço. O valor estava estabelecido desde o início da operação. Chagas argumentava que o valor inicial do ajuste era de 4 bilhões de reais e que os controladores do Itaú já tinham cedido nesse montante para fazer o corte mínimo. Depois de quatro horas na salinha, o tom foi subindo, até que Guilherme, exaurido e irritado, fez um apelo.

— Cara, não vamos mexer no preço. Isso não é certo, não é o que estava combinado. Da mesma forma que você viu um ajuste para baixo, posso vir aqui com uma lista de justificativas para aumentar o preço, mas não vou fazer isso porque é uma questão de palavra, é um princípio. A gente pode resolver de outra forma, com provisão, tem várias maneiras de fazer isso. Não mexe no preço.

Guilherme estava exausto daquele processo todo, daquela disputa de imposições. Foram mais duas horas de debates, e Chagas disse que era possível tirar 400 milhões de reais da conta. Mas que 1,4 bilhão era o mínimo.

— A gente vai ganhar dinheiro junto, cara. Fala com o Roberto que esse negócio vai explodir, vocês não vão ter qualquer problema com a avaliação. Não aceito mudança de preço, isso já estava fechado — disse Guilherme, dando a palavra final.

Bocayuva começou a ficar incomodado. Viu que Guilherme repetia os argumentos e Chagas não cedia. O advogado entendeu que Guilherme estava em seu limite emocional. Para Chagas, era um negócio como outro qualquer. Para o homem da XP, era a decisão de uma vida.

— A gente definiu o preço antes da *due diligence*. Qualquer pessoa que já tenha feito uma transação na vida sabe que há contingências depois da auditoria que são descontadas do preço — rebateu Chagas, num tom condescendente.

— Essa conversa não está mais produtiva. Se não temos como chegar a um acordo nesses pontos, é *dealbreaker* — disse Bocayuva.

Dealbreaker. Não era a primeira vez que Guilherme ouvia esse termo numa negociação que definiria o destino da empresa que haviam fundado. Despediram-se e mataram, ali, a venda de uma fatia da XP para o Itaú. Ainda no elevador do escritório, rumo à saída, ele mandou uma mensagem de áudio para os sócios:

— Galera, deu errado. O Itaú está fora, vamos com tudo para o IPO.

O áudio, com voz embargada, foi enviado para um grupo de WhatsApp nomeado Projeto Novo às 17h36 de sábado. Do aeroporto de Congonhas, Guilherme ligou para Ana Clara para avisar que estava indo para o Rio. Contou que o negócio tinha dado errado e caiu no choro.

— Gui, você não precisa do Itaú. Vem pra casa — disse Ana, sentindo a agonia do marido.

No avião, ao lado de Bocayuva, Guilherme emendava uma palavra na outra, tentando se convencer de que o melhor ainda viria. No Rio, Ana estava na casa de Julio, onde comemoravam com as famílias o aniversário da filha dele. Guilherme chegou com a cara da derrota, apesar de o discurso tentar transparecer algum alívio. Guilherme e Ana ficaram ali por cerca de uma hora para espairecer e foram embora para casa. Ele só queria dormir na própria cama.

Acordou em seu apartamento na Barra no domingo de manhã, pela primeira vez em muito tempo, sem vontade de correr — o que fazia rigorosamente todos os domingos. Queria relaxar, aproveitar a manhã com a família e recarregar as baterias para encarar a nova jornada na segunda-feira. Levantou-se para brincar com as duas filhas e deu de cara com um arco-íris cruzando de ponta a ponta a varanda do apartamento.

Guilherme não é religioso, mas acredita em sinais.

Abriu um sorriso largo e ficou parado no meio da sala de estar por dois minutos. Tirou uma foto do arco-íris com o celular e mandou para os sócios e o advogado. Sem o Itaú, partindo para o IPO, de uma forma ou de outra, a XP já era o maior fenômeno do mercado de investimentos da história brasileira. Ele estava prestes a se tornar bilionário — talvez o mais improvável bilionário do mercado financeiro nacional. Ana Clara estava certa: ele não precisava de Itaú coisa alguma.

A XP sempre se dera bem quando operações de venda davam errado. Guilherme se lembrou da oferta irresistível de Eduardo Plass quase doze anos antes: 30 milhões de reais. Ou dos 114 milhões de reais que os diretores do Itaú haviam prometido à XP em 2008. Aqueles números todos eram ridiculamente pequenos olhados do ponto de vista de 2017. Por que não podia ser do mesmo jeito agora?

Com a visão daquele arco-íris, ele concluiu que a coisa ia pelo mesmo caminho.

— Era assim que tinha que ser, pessoal. A gente nunca quis banco. Vamos com tudo para a bolsa! — escreveu no grupo de WhatsApp do Projeto Novo.

Os sócios responderam com mensagens de apoio, tentando esconder a frustração.

DUAS HORAS DEPOIS, o celular de Guilherme tocou. Era Capua, avisando que Candido Bracher, que a essa altura já assumira a presidência do Itaú, estava chamando os sócios da XP para um café em sua casa, em São Paulo. José Berenguer, o presidente do J.P. Morgan, tinha aplicado um desfibrilador na transação.

No sábado, Julio ligara para Berenguer a fim de avisá-lo da reunião catastrófica. O banqueiro estava em sua casa de praia, no Guarujá. XP e GA haviam combinado que o J.P. Morgan receberia a mesma comissão em qualquer operação — quer fosse o IPO, quer fosse a venda para o Itaú. O J.P. Morgan, portanto, não tinha predileção, mas havia entendido, ao longo das discussões, que os clientes preferiam manter a empresa de capital fechado e com um sócio estratégico. Capua disse que não queria jogar a toalha.

Em paralelo, Chagas ligou para Bracher.

— Deu um estresse, é sobre uma cláusula que altera o preço. É muito importante a gente conseguir fazer uma reunião nesse fim de semana com a XP porque parece que o negócio não vai acontecer.

Quando viu no celular que Berenguer estava ligando, Bracher já sabia do que se tratava. Os dois são amigos desde que Berenguer trabalhava no BBA. Ambos são santistas fanáticos e se encontram em camarotes nos jogos de futebol. Acostumados a operações de compra e venda, eles sabiam que negócios podem morrer antes de serem fechados. Na ligação, concluíram que valia a pena retomar as conversas, e que tinha de ser para já. Bracher marcou uma reunião às 17 horas de domingo em sua casa. Ele entendia que havia uma relação de maior conforto, um vínculo mais natural entre Setubal e Guilherme, mas Setubal estava no Japão.

Benchimol, pelo seu lado, não podia nem pensar em voltar a São Paulo naquele domingo e encarar qualquer tipo de negociação. Capua tomou um voo sozinho do Rio para São Paulo, onde se encontrou com Escobari. O grupo de WhatsApp dos sócios e advogados foi rebatizado, passando de Projeto Novo para The Walking Dead. Berenguer deixou a casa de praia e se juntou a Pedro Juliano, diretor de fusões e aquisições do J.P. Morgan. Os quatro seguiram para a casa de Bracher, onde foram recebidos pelo banqueiro e por Chagas.

Bracher havia participado com Setubal de duas reuniões com Guilherme e Julio, para conhecê-los. Guilherme lhe parecera um sujeito agradável e desconfiado. Estrategicamente, Bracher se achava uma figura importante naquela negociação — afinal, seu BBA tinha sido comprado pelo Itaú anos antes e ali estava ele, presidente do banco.

Sentaram-se à mesa da sala de jantar.

— O Guilherme não vem — disse Julio.

Bracher não considerava os pontos que haviam matado a transação tão cruciais assim. Mas ele percebia que o outro lado, especialmente Julio, tratava Guilherme com certo cuidado. "Quando ele se indispõe com algo...", começou a dizer Julio, antes de ser interrompido por Escobari, indicando que continuavam favoráveis à operação.

O tato de Bracher tornou a reunião serena, movida a café e pão de queijo. Como banqueiro de investimento, ele sabia bem que toda operação de M&A (*mergers and acquisitions*, ou fusões e aquisições, no jargão do mercado financeiro) era também uma operação de *misery and agony* (sofrimento e agonia).

— É muito mais complicado casar do que vender. Eu sei, já estive do outro lado, fazendo o negócio da minha vida — disse Bracher a Julio.

Os jogadores deixaram de lado táticas de mesa de pôquer e adjetivos como "inaceitável" e "absurdo" para uma conversa que depois definiram como mais construtiva do que as que vinham tendo. Passaram cerca de três horas debruçados em polêmicas, que iam desde os tais gastos previstos com tecnologia à composição de comitês na XP. Quem aprova questões estratégicas, como uma aquisição? Quem faz parte dos comitês de auditoria e gestão? E se houver empate, quem desempata? Quem paga por uma contingência contábil futura? Quanto e por que período?

Vendedor e comprador começaram a ceder. A XP aceitou, por exemplo, aumentar as contas de reserva — recebendo menos no curto prazo para assegurar uma eventualidade ou gasto maior com investimentos em tecnologia ou marketing. Essas contas e posições iriam se ajustando à medida que o Itaú comprasse novas participações. Pelo acordado, depois de obtidas as aprovações regulatórias, o Itaú aportaria 600 milhões de reais na XP Investimentos e pagaria 5,7 bilhões de reais por 49,9% do capital da XP (sendo 30,1% das ações ordinárias, com direito a voto). Mais dois aumentos de participação viriam. Em 2020, o banco compraria mais 12,5% do capital (atingindo 40% das ordinárias e 62,4% do capital total da XP), avaliando a XP por um múltiplo de dezenove vezes o lucro. Em 2022, adquiriria um percentual adicional de 12,5%, que garantiria ao banco 74,9% da empresa (sendo 49,9% das ações ordinárias), dessa vez com base no valor justo de mercado da XP à época. A partir de 2024, a XP poderia escolher vender o restante para o Itaú. Se não o fizesse, a partir de 2033 o Itaú poderia exercer uma opção e comprar o controle da companhia.

Em certo momento, Bracher pediu um minuto e se retirou da sala para fazer uma ligação para Setubal. Achava melhor já combinar com Roberto ali mesmo, a fim de não deixar pendências nem reacender desconfianças. Naquele domingo, com o negócio reatado, a XP também aceitou uma cláusula que implicaria antecipação dessa venda de controle em casos específicos — como envolvimento dos sócios principais em processo criminal ou em caso de morte ou incapacidade do fundador. Conforme cada caso, a pessoa indicada para assumir o negócio poderia sair das empresas ou ser escolhida a partir de um processo coordenado por *headhunters*.

Às nove da noite do domingo, a dupla do J.P. Morgan, Julio e Escobari foram direto para a sede do banco na Faria Lima e começaram a redigir as novas cláusulas negociadas. Na segunda-feira de manhã, enquanto as secretárias cancelavam passagens, hotéis e reuniões com investidores na capital britânica, Guilherme e Bocayuva decolavam do Rio para se juntar ao grupo. Parecia tudo certo, mas na discussão detalhe a detalhe de termos, definições e obrigações, foram mais quatro dias e quatro noites. Todo dia parecia que seria o último.

Foi também na reta final que executivos da gestora Dynamo, que detinha participação de 5% na XP por meio do fundo da General Atlantic, resolveram participar das discussões. Como investidores do veículo da gestora, eles tinham poder de veto e teriam que assinar também o contrato de venda. A Dynamo queria vender toda a sua fatia já de uma vez, mas a GA tinha concordado com o modelo de vendas parciais. O impasse surgiu às dez da noite, causou turbulência e mais discussão até as três da manhã, mas nada foi alterado. Na madrugada de quinta-feira, dia 11, restava apenas uma pendência. As partes teriam que chegar a um acordo sobre o montante de eventuais passivos de clientes que teria que ser assumido pela XP, caso aparecessem após a venda de participação ao Itaú mas fossem relativos a períodos anteriores à transação. Jogador nato — já destituído do espírito de luta, uma vez que a transação estava no fim, e bem-humorado —, Escobari resolveu provocar Chagas, o negociador implacável do Itaú, para tentar arrancar dele alguma concessão. O valor para a chamada franquia de indenização defendido pela XP era a partir de 2 milhões de reais, enquanto o Itaú pedia indenização por qualquer valor.

— Chagas, você é quem decide e nós aceitamos. De zero a 2 milhões de reais, o que vai ser? — perguntou Escobari.

A expectativa de quem ocupava a sala, e especialmente de Escobari, era que a provocação pública fizesse com que Chagas escolhesse o valor intermediário, definindo 1 milhão de reais. Também era uma forma de amansar a fera, que tinha se mostrado irredutível nas rodadas de negociação.

— Dois milhões — respondeu ele.

Eram vinte pessoas na sala caindo na gargalhada. Assim foi feito.

Ninguém descobriu quem foi o autor, mas um dos executivos colocou no telão da sala uma página de PowerPoint com uma imagem de fogos de artifício e a frase: "XP já é Itaú na Austrália". Foi o primeiro vazamento da operação. A foto correu pelo WhatsApp de vários celulares na Faria Lima.

Enquanto a redação dos contratos era revisada, o boliviano e seu advogado de confiança, Sergio Spinelli, resolveram fazer uma brincadeira e escrever em um papel, escondidos, como avaliavam o desfecho da transação. Cada um deveria escrever no papel uma nota de 1 a 10 — quanto menor, melhor o Itaú tinha se saído na transação; quanto mais alta, melhor para os vendedores. Os dois exibiram o número ao mesmo tempo e empataram: 4. Aquele seria o negócio da vida de Escobari. No patamar de 12 bilhões de reais, a venda de uma participação na XP seria a transação mais lucrativa da história da General Atlantic.

E Martin teria de dar a Guilherme o quadro que tinham apostado pouco mais de um ano antes.

Às quatro da tarde daquela quinta-feira, 11 de maio, Guilherme foi informado de que os contratos estavam prontos para a assinatura. Foram mais algumas horas de revisões e checagens, até que tudo estava de fato assinado por todas as partes envolvidas. Guilherme embolsaria 1 bilhão de reais na venda de um terço de suas ações — a transação avaliava sua participação na XP em 2,7 bilhões de reais.

Um garçom do escritório organizou os carrinhos com taças e garrafas de champanhe na área de entrada do BMA. Benchimol, Capua e Escobari foram para cima de Chagas com as garrafas explodindo champanhe, e ele fugiu do banho.

Com a roupa amarrotada, o fundador da XP, avesso a discursos, foi obrigado a se pronunciar.

— Chegamos até aqui sendo criativos e dinâmicos, só faltava credibilidade. Agora temos a credibilidade e podemos competir com o próprio Itaú. Tenho certeza de que está só começando!

Os sócios saíram do BMA e foram até um bar na esquina para tomar uma cerveja. Guilherme foi junto, mas sua cabeça estava em outro lugar.

Inevitavelmente, ele pensava no passado — e na improvável cadeia de eventos que o levara até ali. As cobranças do pai, a demissão na Investshop dezesseis anos antes, a mudança para Porto Alegre, os anos de aperto financeiro, a ralação para levantar a corretora, o desdém que enfrentara até pouco tempo antes. O sucesso no desafio aos bancos, que parecia impossível, era agora incontestável. Multibilionário com a assinatura daquele contrato, Benchimol estava se tornando símbolo de uma geração de empreendedores que — no país da Operação Lava-Jato — não deve nada a governos.

Mas Guilherme pensava também no futuro. Como a associação com o Itaú mudaria a cara da XP? Como não se deixar acomodar pelo sucesso, mantendo a gana dos tempos de escassez? Como acelerar o crescimento da empresa, preparando-a para o inevitável aumento na concorrência? Qual era o limite da XP?

Ficou meia hora com os sócios e foi para casa. Afinal, tinha de estar no escritório às oito da manhã do dia seguinte. Guilherme tinha acabado a maior maratona de sua vida — mas já começava a se preparar para a próxima.

POSFÁCIO

A aprovação regulatória do negócio entre a XP e o Itaú foi muito mais difícil do que se imaginava. Aquisições no mercado financeiro têm de receber o sinal verde do Conselho Administrativo de Defesa Econômica (o Cade) e do Banco Central (BC). Ao longo de décadas de consolidação no setor bancário, as duas instituições basicamente aprovaram tudo sem grandes restrições — inclusive as diversas aquisições do próprio Itaú. Havia uma espécie de consenso de que no caso da XP seria parecido. Afinal, seria julgada ali apenas a compra de 49,9% de uma empresa por outra — como se tratava de uma fatia minoritária, não havia, a rigor, um movimento de concentração a condenar. Mas, naquela que talvez tenha sido a maior comprovação da "disrupção" causada pela XP, a transação recebeu uma oposição violenta, foi olhada com lupa e, ao final, teve de ser substancialmente alterada.

Em resumo, o Banco Central e o Cade chegaram à conclusão de que o Itaú não estava simplesmente adquirindo uma participação numa empresa, e sim se apropriando de um modelo de negócios inovador — e que isso provocaria impactos concorrenciais não só hoje, mas também no futuro. Em um relatório posterior em que explicita a lógica de suas decisões, o BC destacou que sua análise "enfatiza a concorrência potencial no caso dos 'Mavericks', que são as empresas com modelos de negócios inovadores que desafiam incumbentes dominantes (as fintechs, no caso da intermediação financeira)".

Quem diria: a XP, aquela empresa em quem pouca gente acreditava até alguns anos antes, era agora, na definição do Banco Central, um "Maverick".

A discussão sobre a transação tomou o mercado financeiro no país, com opiniões de todos os lados e uma torcida contrária bastante barulhenta. O economista Armínio Fraga, respeitadíssimo ex-presidente do BC, chegou a se manifestar publicamente sobre o assunto. Em uma entrevista ao jornal *Valor Econômico*, disse que a autoridade monetária deveria vetar a aquisição pelo Itaú para incentivar um mercado competitivo.

Durante todo o processo, o Cade produziu 125 ofícios e ouviu 65 agentes econômicos, entre concorrentes, bancos e entidades representativas de investidores. Apenas um ano depois do anúncio da transação, o Cade soltou seu parecer, aprovando o negócio com ressalvas. Solicitou, por exemplo, por meio de um Acordo em Controle de Concentrações, que a XP e o Itaú reforçassem os mecanismos de governança corporativa para independência de gestão dos controladores da corretora.

Mas no Banco Central as coisas foram ainda mais difíceis — e, na prática, depois de um ano e meio de vaivém, o BC aprovou a compra dos 49,9% (sendo 30,1% do capital votante), todavia proibiu a posterior venda do controle. As "tranches" em que o Itaú aumentaria sua participação foram limitadas à compra de mais 12,5% do capital da XP em 2022. Mesmo assim, esse negócio deverá ser submetido à avaliação do BC de novo. Foram vetadas a aquisição de 12,5% em 2020, a opção de venda da totalidade da companhia pela holding da XP ao Itaú em 2024 e a opção de compra total pelo Itaú a partir de 2033. No entendimento do BC, essa decisão evita o impacto concorrencial no mercado de distribuição de produtos financeiros, tido como mais concentrado que o mercado de corretagem. O BC determinou ainda que, por contabilizar a maioria do mercado de agentes autônomos no país, a XP não poderia firmar acordos de exclusividade com esses escritórios.

Foi um remédio amargo, mas tanto a XP quanto o Itaú decidiram ir em frente. Para a XP e seus sócios, os benefícios advindos da associação com o Itaú se manteriam naquelas condições, e a falta de liquidez para suas ações nos anos seguintes poderia ser resolvida com uma abertura de capital. A General Atlantic, que precisava de um caminho para a venda do restante de suas ações, apoiou as concessões feitas ao Banco Central. Em agosto de 2018, quando finalmente a XP e o Itaú assinaram o acordo com o Banco Central, Martin Escobari perdeu a aposta feita quase três anos antes com Guilherme e Julio Capua. Os sócios da XP foram até seu escritório para tomar-lhe o quadro de Fernando Velázquez, que hoje enfeita a sede da empresa, em São Paulo. Escobari perdeu a aposta, mas não tinha motivos para lamentar. A XP foi o melhor negócio da história da General Atlantic, e o boliviano foi promovido a copresidente do comitê global de investimentos da gestora, em Nova York. O bilhão de reais investido pela GA em 2012 e 2016 pode se multiplicar por oito até a venda total das ações.

As restrições impostas pelo BC levaram o Itaú a reavaliar a aquisição. Se não poderia se tornar dono da XP no futuro, a transação ainda fazia sentido? A conclusão do conselho de administração do banco, movida mais uma vez pela defesa entusiástica de Roberto Setubal, foi de que ainda valia a pena. Setubal argumentou que, se o plano de crescimento traçado pela XP fosse cumprido, a valorização da fatia que teriam já fazia da aquisição um bom negócio para o banco — mesmo que fosse para vender essa participação anos depois.

ENTRE A NEGOCIAÇÃO e o fechamento da transação entre a XP e o Itaú, a multiplicação da concorrência foi exponencial. Algumas plataformas fundadas muitos anos antes ganharam aportes financeiros e outras tantas foram criadas do zero, sempre replicando o modelo de "shopping financeiro" da XP. A Easynvest, uma das concorrentes mais antigas da XP, recebeu um aporte da gestora de *private equity* americana Advent International. A Órama cresceu e vendeu uma fatia acionária para a Argos, que pertence à família Marinho, proprietária do Grupo Globo. O grupo segurador SulAmérica também se tornou acionista da plataforma. A Guide Investimentos, que teve entre seus fundadores Jean Sigrist — o primeiro executivo do Itaú que pensou em comprar a XP —, foi vendida para a chinesa Fosun, um dos maiores conglomerados do mundo. A Genial Investimentos, que pertence ao banco Brasil Plural, e a Modalmais, do banco Modal, também aumentaram o número de produtos em suas plataformas e investiram em tecnologia. Numa reportagem de capa em julho de 2018, a revista *Exame* destacou a trajetória dessas empresas com a seguinte chamada: "Quero ser XP".

O banco BTG Pactual começou a investir pesado em sua plataforma voltada para o investidor de varejo, o BTG Digital. Um dos executivos à frente da estratégia era Henrique Cunha, o Xoulee, diretor de expansão responsável por atrair novos agentes autônomos para o projeto — papel que exerceu na XP anos antes. O modelo é o mais parecido possível com aquele que consagrou a empresa de Guilherme Benchimol, voltado para a formação de uma grande rede de agentes autônomos. A XP e o

BTG acabaram se estranhando na Justiça. A XP não gostou de ver suas estratégias replicadas pelo banco, que estava em seu sindicato para o IPO — nesse tipo de operação, os bancos coordenadores têm acesso a uma série de informações confidenciais. Numa ação judicial aberta em dezembro de 2018, a XP acusava o BTG de se valer dessas informações para crescer e, assim, atrair seus agentes autônomos. O BTG, pelo seu lado, resolveu recorrer ao Cade, sob o argumento de que a XP mantinha a exclusividade dos agentes, o que contrariava a orientação do órgão de defesa da concorrência e, na Justiça, alegou que o processo da XP causara dano moral. Em outubro de 2019, a disputa judicial seguia em aberto.

Os bancos de varejo, por sua vez, também se mexeram. O Santander lançou a Pi, sua plataforma digital de investimentos, em março de 2019. O Bradesco turbinou a corretora Ágora e o Itaú aumentou o alcance da Investimentos 360, sua plataforma aberta de investimentos para clientes de renda mais alta. No cerne da transformação dos grandes bancos está a distribuição de produtos financeiros de outras instituições. Ou seja, todos, inclusive os todo-poderosos bancos de varejo, estão tentando se transformar em "shoppings financeiros" — no caso dos bancões, para estancar a sangria da perda de clientes.

O "efeito XP" causou uma revolução no mercado de gestão de recursos. De repente, milhões de pessoas se viram livres das amarras da exclusividade de produtos oferecidos por seus bancos. Diante deles, agora, estavam produtos de gestoras antes restritas a clientes ricos. De 2015 a 2018 foram registradas no país mais de 220 novas gestoras e administradoras de recursos na Comissão de Valores Mobiliários. Somente em 2018 foram abertas mais de setenta. A Adam Capital, criada em 2016 pelo gestor Márcio Appel, que deixou a carreira na Safra Asset Management, gestora do banco Safra, foi uma espécie de símbolo desse movimento. Em dois anos e meio, com a distribuição em plataformas abertas, atingiu 26,9 bilhões de reais sob gestão. A Truxt, criada por José Alberto Tovar, oriundo da ARX (ligada ao banco BNY Mellon), foi criada em junho de 2017 e, dois anos depois, já administrava 10,4 bilhões de reais.

Outras gestoras independentes tradicionais viram seu número de cotistas se multiplicar rapidamente com os novos canais de distribuição. Na Leblon Equities, fundada no Rio de Janeiro em 2008, o número de investidores passou de trezentos para 4 mil com o início de distribuição em plataformas. A mineira AF Invest, fundada em 2006, era uma ilustre desconhecida dos investidores no eixo Rio-São Paulo até o início de 2018, com 1,4 bilhão de reais sob gestão. A casa começou a distribuir seus fundos na plataforma da XP, Órama e Genial e, em menos de 12 meses, chegou a 3,5 bilhões de reais.

EM 2012, QUANDO A XP copiou a campanha publicitária "Wake Up America", da Schwab, a tal "desbancarização" parecia um palavrão sem muito sentido prático. Pouca gente se dava conta de que dar ao investidor o poder de decisão sobre o que fazer com seu dinheiro chacoalharia estruturas de poder econômico que pareciam inabaláveis. A XP simbolizou esse fenômeno por seu pioneirismo, mas, no final de 2019, diversas outras empresas ajudavam a multiplicar os impactos da "desbancarização". As fintechs, como são conhecidas as companhias financeiras que nascem com uma pegada tecnológica, se multiplicavam. Fundado em 2013, o Nubank — com seu cartão de crédito roxo e sem taxas — era avaliado em julho de 2019 em cerca de 10 bilhões de dólares. Bancos digitais que não cobram taxas surgiam a cada dia. O banco Inter, da família Menin (do ramo imobiliário), valia mais de 10 bilhões de reais.

O surgimento de novos modelos de negócios veio aliado a um salto na qualidade da informação financeira disponível para o público. Com seu marketing sagaz e polêmico, a Empiricus conquistou centenas de milhares de clientes ao oferecer conteúdo para os pequenos investidores. Em sua cola, surgiram empresas como Eleven e Suno Research. O Traders Club, uma espécie de rede social voltada para quem compra e vende ações diariamente, é outro exemplo de inovação no segmento. Hoje, alguns dos maiores gestores do país usam as redes sociais para informar seus clientes e educá-los. Henrique Bredda, sócio da gestora de ações Alaska, tinha quase 70 mil seguidores no Twitter. São consequências da "desbancarização" que, se ainda está começando no Brasil, já mudou a vida financeira de muita gente. Em agosto de 2019, 1,3 milhões de pessoas investiam na bolsa. Em um ano, o crescimento havia sido de quase 500 mil CPFs. Quando Guilherme Benchimol e seus sócios começaram a dar aulas de renda variável em 2002, esse número não passava de 85 mil.

A MOSCA AZUL da "desbancarização" transformou a XP numa escola de formação de empreendedores. Marcelo Maisonnave criou uma holding de investimento em startups, em que é sócio de Eduardo Glitz e Pedro Englert. Entre os negócios nos quais eles têm participação, estão a corretora Warren, a empresa de educação focada em inovação StartSe e a Monkey Exchange, uma plataforma digital de intermediação de venda de duplicatas de pequenas e médias empresas. Em alguns de seus negócios, eles têm outros sócios, que também passaram pela XP.

Henrique Loyola fundou a fintech Avec, plataforma de gestão de pagamentos para salões de beleza. Alexandre Marchetti comprou uma corretora, rebatizada de Hub Capital. Sergio Cardoso, o ex-diretor de tecnologia da XP, é sócio da Toro Investimentos, corretora voltada para investidores iniciantes. Roberto Lee, o fundador da Clear, abriu uma corretora nos Estados Unidos, a Avenue, para incentivar investidores brasileiros a operar no exterior.

Executivos que tentaram comprar a XP, então em companhias "tradicionais", também se envolveram posteriormente com projetos de inovação na área financeira. Jean Sigrist, além de participar da fundação da Guide, é atualmente sócio do banco digital Neon — onde também está Norberto Giangrandi, ex-acionista da Rico. David Vélez, o colombiano que sondou a XP quando era sócio do fundo americano Sequoia, fundou o Nubank. Paulo Ferraz, o visionário idealizador da Investshop, tornou-se investidor de startups. Destino diferente teve o quase-futuro-dono da XP nos idos de 2006: o banqueiro Eduardo Plass, acusado de envolvimento em um esquema de lavagem de dinheiro, fechou um acordo de delação premiada em 2019. Luiz Kleber Hollinger da Silva, o Klebinho, morreu em 2016, nove anos depois de trocar sua corretora, a Americainvest, por 5% da XP.

À MEDIDA QUE SE CONSOLIDA como líder que todos querem bater, a XP tende a ser alvo de um escrutínio cada vez maior, como foi demonstrado, aliás, durante a novela da aprovação do negócio com o Itaú. Marcelo Maisonnave tem sido um crítico da empresa que ajudou a fundar. Em entrevista ao *Valor Econômico*, ele apontou os potenciais conflitos de interesse do modelo em que o emissor do produto financeiro distribuído aos clientes remunera a corretora — modelo adotado pelos "shoppings financeiros" e por bancos. "É um modelo muito disseminado no mundo inteiro, que faz sentido para muitos investidores, mas que tem conflito", disse ele. Com os 120 milhões de reais que levantou na venda de suas ações da XP, Maisonnave criou a Warren, plataforma de investimentos em que o cliente paga uma comissão fixa de 0,5% ao ano sobre o patrimônio administrado.

Em agosto de 2019, a BSM, o órgão autorregulador do mercado de capitais que funciona como a área de supervisão da bolsa brasileira, aplicou uma multa à XP (de valor não revelado, mas estimado em 10 milhões de reais) por um serviço conhecido como "facilitation". Nesse serviço, que já é usado no mercado institucional e que a XP começou a testar no segmento de varejo, o software da corretora fecha operações automaticamente com o cliente. O propósito é dar mais liquidez ao cliente que, em vez de ficar esperando até que apareça um interessado na operação, vende logo para a própria corretora por um preço igual ou melhor ao valor pedido pelo cliente.

No entendimento da BSM, apesar de a transação acontecer "no escuro", a XP acabou preterindo compradores que estavam na outra ponta da operação, fazendo com que o investidor vendedor tivesse rápida liquidez, mas não necessariamente o melhor preço. A decisão da BSM foi tomada por cinco votos a três. Segundo a XP, no entendimento da própria BSM relatado no processo administrativo (que não é público), o "facilitation" gerou 18,54 milhões de reais em benefício para os clientes, ante uma ineficiência de 31,3 mil reais. Essa discussão durou mais de dois anos. A BSM havia sugerido que a XP simplesmente parasse de oferecer o serviço — o que a corretora não aceitou. Em 2019, deu a multa, mas não suspendeu o serviço, que agora é oferecido por, pelo menos, outras sete corretoras no país. O serviço passou a ser regulado por uma nova norma da bolsa, homologada pela CVM.

Apesar do aumento da concorrência, a XP continuou crescendo em ritmo acelerado. À espera da aprovação da transação com o Itaú, em dezembro de 2017, Guilherme Benchimol reuniu os sócios para traçar uma meta ousada: em três anos, a XP precisava atingir 1 trilhão de reais sob custódia. Naquele momento, a empresa tinha 126 bilhões de reais. Significava dobrar de tamanho a cada ano. A XP estava inclusive de mudança para reunir os funcionários que, àquela altura, estavam espalhados em mais de três escritórios na zona sul de São Paulo. Saiu dos 5,5 mil metros quadrados da Faria Lima e de outros "puxadinhos" complementares, improvisados enquanto a empresa crescia, para 12 mil metros quadrados em um endereço próximo, na avenida Juscelino Kubitschek.

Para atingir a meta, Guilherme provocava cada equipe de negócio, demandando repetidamente "ousadia" para iniciativas em suas áreas que ajudassem a colocar a empresa na rota do trilhão. A companhia também passou a turbinar uma área incipiente de mercado de capitais, para replicar no segmento institucional o que havia feito no varejo. A atuação começou a ganhar relevância na estruturação de emissões de dívida e, em 2019, a XP já aparecia nos rankings de coordenação de emissão de ações e assessoria de fusões e aquisições de empresas médias. O grupo também criou uma corretora de criptomoedas, a Xdex, com estrutura segregada, e o XP Empresas, uma plataforma para dar crédito a empresas de médio porte em que a XP conecta o tomador com o credor, numa espécie de marketplace de empréstimos corporativos.

Além disso, um andar da XP passou a abrigar cinquenta *squads*, grupos de trabalho formados por funcionários de diferentes áreas para buscar inovações em serviços, produtos e processos. A XP, que não era definida no mercado como uma fintech nem se via dessa forma, começou a ganhar uma cara mais "moderninha" — incluindo espaço de "descompressão" com parede grafitada e videogame, algo impensável na companhia poucos anos antes.

Na sala de reuniões em que os sócios executivos da XP mantêm seus encontros de terça-feira de manhã, Guilherme mandou instalar um "trilhômetro", placar eletrônico que atualiza, em tempo real, o volume de recursos sob custódia da XP. No início de setembro de 2019, o relógio indicava um total de 340 bilhões de reais. A cada mês, a empresa incorporava mais de 10 bilhões de reais, o equivalente à captação total de 2015.

Ao fim de 2019, a XP se prepara para uma nova empreitada: a tão sonhada e sempre adiada abertura de capital, prevista para acontecer entre dezembro de 2019 e janeiro de 2020. O IPO da XP, que não parecia o melhor caminho em 2017, quando a companhia preferiu a sociedade com o Itaú, é uma consequência natural das restrições impostas pelos reguladores à nova sociedade.

O IPO acontecerá no mercado americano. Analistas e gestores brasileiros e executivos da B3 tentavam convencer a XP a fazer uma dupla listagem — nos Estados Unidos e no Brasil — sob o argumento de que a companhia que ajudou a fomentar o mercado de capitais brasileiro deveria fincar pé também na bolsa local. Nos Estados Unidos, companhias com o perfil da XP podem escolher uma estrutura com duas classes de ações, em que concentram o poder de voto no grupo de controle e vendem ações com preferência em dividendos, mas sem força política para, por exemplo, alterar a diretoria da empresa. No mercado americano isso é mais aceito pelos investidores. Analistas estimavam que a XP pudesse valer, na estreia, mais de 50 bilhões de reais. Mais de quatro vezes, portanto, o valor atribuído à empresa na transação com o Itaú em maio de 2017.

GUILHERME E ANA CLARA tiveram em 2018 sua terceira filha, Olivia. A família deixou o apartamento no Rio de Janeiro e se mudou de vez para São Paulo. Na empresa, Guilherme passou a assumir um papel institucional mais forte. Tornou-se um dos empresários brasileiros mais influentes do LinkedIn, a rede social profissional, com cerca de 350 mil seguidores. Continuava dando suas corridas matinais e o gosto por esportes radicais não se perdeu — em agosto de 2019, participou do Rally dos Sertões e chegou em sexto lugar, mesmo depois de capotar em uma das etapas.

Em julho de 2019, a XP realizou a maior Expert de sua história. Durante três dias, mais de 30 mil pessoas compareceram à feira, que já havia se tornado a maior do mundo no segmento financeiro. No último dia do evento, Guilherme e o empresário Jorge Paulo Lemann discutiram a importância da cultura corporativa para o sucesso ou fracasso de empresas. Lemann, um dos três ídolos de Guilherme (os outros são o pai, Cláudio, e Ayrton Senna), trouxe para o Brasil o DNA meritocrático do banco americano Goldman Sachs, e os filhotes da cultura Garantia estão aí até hoje — a XP, com sua *partnership* em constante movimento, é uma das centenas de exemplos.

Aquela conversa não foi marcada à toa. Nos dois anos que se passaram desde a transação com o Itaú, a manutenção da cultura da XP se tornou a maior preocupação de Guilherme. Ter sócios ricos representava, para ele, um desafio novo. O sangue nos olhos, a disposição para ralar horas e horas sem parar, o foco obsessivo no sucesso da empresa — foi essa a receita que fez a XP ser o que era. O acordo bilionário com o Itaú e a possível abertura de capital, pensava ele, não poderiam colocar em risco essa fórmula.

Em agosto de 2018, quando a venda de ações para o Itaú foi acertada, todos sabiam que receberiam uma bolada. No dia 20, Guilherme enviou aos sócios o seguinte e-mail:

> Pessoal,
>
> Na semana que vem começaremos a receber a parcela da secundária com o Itaú, e cada sócio na sua proporção terá um relevante impacto na sua liquidez. Dito isso, gostaria de lhes fazer algumas recomendações e dar alguns conselhos. Lista de recomendações: Não se metam a fazer a gestão do seu patrimônio de forma ativa. Isso tira o foco na empresa/metas e a maior parte das pessoas perderá dinheiro. O dinheiro não é para se "brincar", é para se investir a longo prazo, buscando preservação de capital e mitigação de risco. Procurem o seu

assessor e construam suas carteiras de forma sustentável. Se programem para que a liquidez se concentre na XP, já no D0. Tirem todo o dinheiro do banco no qual possuem conta-corrente. Nós temos os melhores produtos e os bancos são nossos concorrentes. Não participem de outros negócios ou investimentos "alternativos". Fazer uma coisa bem-feita já é difícil, duas então nem se fala. Nosso maior e mais promissor negócio são nossas ações e a perspectiva de crescimento da nossa empresa. Foquem! Se mantenham humildes e não façam extravagâncias. A humildade é uma qualidade empresarial que nos mantém acessíveis em todos os sentidos e com os pés no chão.

Lista de conselhos: Não gastem o dinheiro nos próximos doze meses, apenas o invistam. Aos poucos, comecem a se acostumar com a ideia de que estão mais líquidos. Encarem esses recursos como um "seguro de vida" que trará tranquilidade para o seu futuro e lhes permitirá focar ainda mais no nosso projeto XP. Fiquem próximos dos amigos de sempre. Mantenham uma vida regrada, dedicada à família e com hábitos simples. Evitem exibições nas redes sociais. Gostaria de reafirmar a certeza de que o projeto da XP está apenas no começo e que ainda teremos muitos outros eventos pela frente. No entanto, a minha maior convicção é a de estarmos construindo uma empresa sólida e geradora de dividendos. Nossas ações serão cada vez mais fortes e será um prazer dividir esse crescimento com todos que merecerem. É fundamental que vocês sigam inspirando nossa empresa e servindo de referência para todos os nossos demais executivos.

Abs.

AGRADECIMENTOS

Eu tinha acabado de escrever uma reportagem de capa para a revista *Exame* sobre o que parecia o ápice de Guilherme Benchimol, quando meu editor Tiago Lethbridge propôs que escrevêssemos um livro sobre a XP. Benchimol estava completando 40 anos e sua empresa, por muito tempo desdenhada pelo mercado financeiro tradicional, acabara de ser avaliada em 3 bilhões de reais. Trabalhando como jornalista de finanças e negócios havia anos, eu acompanhava a XP de longa data e, como de costume, Tiago me desafiou a encontrar as histórias não contadas da empresa, as decisões e percalços que forjaram sua estrutura e permitiram que ela transformasse o mercado financeiro brasileiro. Quem já teve a sorte de tê-lo como editor sabe como Tiago espera pelo máximo, mas pedindo como se fosse o mínimo. "Faça pirâmide, não faça biscoito" foi sua sentença em nosso primeiro ano de trabalho e lá se vão oito anos puxando a régua para cima. Este livro é resultado de nossa incrível parceria. Agradeço ao Tiago, que me orienta e desorienta.

Benchimol resistiu. De primeira, não gostou de ter sua história contada de forma independente e, para quem acredita que está sempre "apenas começando", achava que ainda não era a hora certa. Comecei a levantar essa história com o que já conhecia da XP, com a preciosa colaboração de ex-sócios, de diretores e funcionários da empresa, de gestores de fundos e executivos de bancos. Mas com certeza a obra seria falha se Benchimol não tivesse se tornado, por fim, um entusiasta dessa empreitada, ao resolver conceder entrevistas para o livro – uma série delas –, e incentivar seus sócios, parceiros e família a fazerem o mesmo, ainda que vez ou outra a conversa fosse sobre aspectos ou episódios que prefeririam não explorar.

Agradeço a Guilherme e a todos os sócios da XP – em especial Bernardo Amaral, Fabrício de Almeida, Julio Capua, Gabriel Leal e Fernando Vasconcellos, que participaram com mais intensidade desse projeto. Aos atenciosos Roberto Setubal e Cândido Bracher e a Jorge Paulo Lemann, pela generosidade de escrever o prefácio. Aos ex-sócios da XP, aqui representados por Eduardo Glitz e Pedro Englert, que se animaram com esse livro, disponibilizaram horas para entrevistas, ligavam e mandavam mensagens tarde da noite ou logo de manhã quando se lembravam de algum episódio ou encontravam uma fotografia. Agradeço a Marcelo Maisonnave que, mesmo preferindo abster-se do processo, foi atencioso e generoso no que dependia de sua colaboração. À super equipe da editora Intrínseca pelo capricho e atenção.

Aos colegas e amigos que o jornalismo me deu: preciosas heranças da *Gazeta Mercantil* como Ana Paula Machado e Regiane de Oliveira; as Financetes, familinha paulista que nasceu no Breco; amigos da *Exame*, que incentivaram esse livro e com quem trabalhei em reportagens que me enchem de orgulho; à equipe da editoria de finanças do *Valor Econômico*, que me acolheu de prontidão e me fez sentir em casa. Em todas as redações pelas quais passei, posso dizer que é muito fácil trabalhar com quem você admira e com quem se diverte trabalhando.

Neste livro, e em todas as histórias que escrevi sobre finanças e negócios, contei com a colaboração valiosa de executivos com quem falo com frequência e que, *off the records*, são fundamentais para a construção de reportagens – ainda que mantendo esse anonimato, não poderia deixar de agradecer a essas fontes. Incluo aqui também meu agradecimento aos amigos e colegas assessores de imprensa, que muitas vezes contribuem para a intermediação desses relacionamentos e dessas histórias.

Antes e além do jornalismo, sou grata a quem me define. Agradeço por tudo e qualquer coisa a Deus e aos meus pais, Roberto e Beth, minhas raízes e asas, origem desse amor por histórias e da curiosidade permanente. Às minhas irmãs, Bárbara e Letícia, parceiras para o que der e vier, e aos meus cunhados, Pedro e Nilo, que me deram os três maiores presentes da minha vida, Miguel, Joaquim e Beatriz. A toda a família Gressi, Almeida Cunha e Filgueiras, e em especial à fada-madrinha Ana Luisa, que me abriu as portas de São Paulo. Às minhas avós, Marô e Maria, luzes de afeto que nunca se apagam.

Aos meus amigos amados do "Santomás", um porto-seguro ontem, hoje e sempre, e aos amigos da Galosampa, que trazem Minas para perto. Àqueles cuja presença constante independe da proximidade física: Fábio Queiroz, Léo Lobato, Gustavo Gamaliel e Samuel Gressi.

CRÉDITOS DAS IMAGENS

Imagem 1:
© Sergio Zalis / Exame / Abril Comunicações S.A.

Imagens 2, 4, 5, 8, 11, 12, 13, 16 e 17:
Acervo pessoal Guilherme Benchimol

Imagem 3:
Acervo pessoal Bernardo Amaral

Imagem 6:
© Rafael Jacinto / Valor / Agência O Globo

Imagens 7, 9 e 10:
Acervo pessoal Eduardo Glitz

Imagem 14:
© Joel Silva / Folhapress

Imagens 15 e 18:
Divulgação XP Inc

A Editora Intrínseca fez todos os esforços para encontrar os detentores das imagens usadas no livro.

■ A ANÁLISE DE OITO CASOS DE PRODUTIVIDADE ■ AS ARMADILHAS DAS FRANQUIAS

EXAME

EDIÇÃO 515 ANO 24 - N.º 20 - 30/SETEMBRO/92 Cr$ 22 000,00

ELE FEZ FORTUNA NO CAOS

Na Década Perdida, Luiz Cézar Fernandes construiu um banco de 1 bilhão de dólares

LUIZ CÉZAR FERNANDES, AO PROPOR NOVE ANOS ATRÁS SOCIEDADE NO FUTURO BANCO PACTUAL A TRÊS JOVENS PH.D.: "QUEREM FICAR RICOS? EU TENHO DINHEIRO. VOCÊS TÊM CABEÇA. QUE TAL SERMOS SÓCIOS?"

Luiz Cezar Fernandes, do Pactual, na capa da revista *Exame* em 1992: sua história de sucesso levou Benchimol a cursar economia.

Maisonnave e Benchimol no primeiro escritório da XP, em Porto Alegre, em 2002.

A salinha de 25 metros quadrados: os computadores de segunda mão foram comprados de uma lan house e a TV foi presente do pai de Benchimol.

Maisonnave, Benchimol, Ana Clara, Oltramari e Capua no escritório da XP.

Primeira apostila de curso: as aulas sobre investimento em ações tiraram a XP do buraco.

APRENDA A INVESTIR NA BOLSA DE VALORES

xp educação

Eduardo Plass, então dono da Ágora: a compra da XP não aconteceu, mas lições sobre como uma *partnership* funciona ficaram.

Em 2007, a XP comprou a Americainvest, então a menor corretora do Brasil. Em 2009, os funcionários comemoraram quando a empresa alcançou a liderança.

Benchimol e o fundador da Americainvest, Klebinho, que assinou o contrato de venda sem ler, entregou a chave, entrou em um avião e foi para Paris.

Glitz, Leal, Englert, Paoli, Marchetti e equipe na feira da Charles Schwab em Boston: copiar a Schwab foi a forma de fugir da dependência do mercado de ações.

Os sócios Glitz, Benchimol, Capua, Maisonnave e Oltramari com o conselheiro Mark Collier (ex-Schwab) na Expert 2012.

Escobari, da General Atlantic, e Kong, da Actis, na negociação de compra pela GA: ter fundos como sócios ajudava a mostrar que a XP era "séria".

Nas férias, Benchimol participa de ultramaratonas de mais de 100 quilômetros.

Benchimol no escritório da empresa na Faria Lima, em São Paulo: a XP na "Wall Street" brasileira.

Roberto Setubal foi um sócio improvável, mas a aquisição de 49,9% da XP foi um negócio com sua marca registrada.

Capua e Benchimol recolhem o quadro do artista Fernando Velázquez após o negócio com o Itaú. Escobari prometera doá-lo à XP caso a empresa conseguisse dar um lucro bilionário à General Atlantic.

Principais sócios executivos em evento promovido pela XP em Nova York.

Lemann e Benchimol em uma partida de tênis no palco da Expert 2019. A feira reuniu mais de 30 mil pessoas em São Paulo.